NORMAN
GÄNSER

NOTEN LERNEN

FÜR ANFÄNGER

MUSIKTHEORIE UND NOTENLEHRE
IN 7 EINFACHEN SCHRITTEN

NORMAN GÄNSER

WWW.GUITARSCHOOL.AT

Lektorat und Korrektorat: Andreas Germek & Finja Westerhove
Covergestaltung: Nina Heiden
Layout: Nina Heiden

ISBN Taschenbuch: 978-3-910258-52-5
ISBN Hardcover: 978-3-910258-53-2
ISBN eBook: 978-3-910258-54-9

Inhaltsverzeichnis

DISCLAIMER

Wir bemühen uns um eine genderkonforme und inklusive Wortwahl. In manchen Fällen wird jedoch zugunsten der Lesbarkeit das generische Maskulinum verwendet. Demnach wird teilweise oder gänzlich auf die Verwendung genderspezifischer Sprache verzichtet. Alle Geschlechteridentitäten werden ausdrücklich mitgemeint, soweit die Aussagen dies erfordern.

AUDIO- UND VIDEODATEIEN ÖFFNEN

1.

Richte deine Kamera auf den QR-Code.

2.

Das Smartphone fragt, ob du die Website öffnen willst.

3.

Noten lernen und Spaß haben!

Willkommen zum Video-Training zum Buch „Noten lernen"

SCANNE MICH !

BEVOR ES LOSGEHT

Die Musik ist ein wundervolles Medium, um deine Kreatvität auszuleben und dir unendliche Klanglandschalen zu erschließen. Wie findest du dich darin zurecht und welche Werkzeuge können dir dabei helfen, dich in diesen musikalischen Gefilden möglichst unbeschwert zu bewegen?

Die Antwort liegt auf der Hand, denn es geht darum, dich effekiv mit der Notenschrift, den rhythmischen Strukturen und den Grundlagen der Musiktheorie vertraut zu machen. Und genau diesen Zweck erfüllt dieses Buch. Es ermöglicht dir, essenzielle Kenntnisse, die dir die Welt der Musik erschließen, in kurzer Zeit zu erwerben.

Was jedoch immer im Vordergrund stehen soll, ist die Faszinaton für die Vielfalt der musikalischen Ausdrucksformen und Klangwelten, die sich dir in der Musik eröffnen. Zu diesem Zweck lernst du hier auch verschiedene Instrumente kennen. Neben den schriftlichen Informationen findest du auch QR-Codes, die mit interessanten Hörbeispielen verknüpft sind.

Teil I: Die Grundlagen des Notenlesens (inklusive Online-Video-Training)

In diesem Teil werden die fundamentalen Konzepte der Notenschrift vorgestellt. Das umfasst sowohl Notennamen als auch Notenwerte, Tonleiter und Grundrhythmen. Damit wird ein solides Fundament gelegt, auf dem du deine musikalische Reise aufbauen kannst.

Teil II: Rhythmus verstehen und anwenden

Hier geht es in erster Linie um den Rhythmus. Du lernst, wie du Noten im Takt lesen, Taktarten verstehen und komplexe Rhythmen meistern kannst. Rhythmus ist der Puls und das Rückgrat der Musik. Dieses Kapitel vermittelt dir die Werkzeuge, um ihn zubeherrschen.

Teil III: Musiktheorie für Einsteiger

Der dritte Teil vertieft dein Verständnis der Musiktheorie. Themen wie Intervalle, Akkorde, Tonarten und Harmonielehre kommen hier zur Sprache. Du lernst die Struktur und Komposition von Musikstücken zu erkennen und zu schätzen. Besonders relevant in diesem Zusammenhang sind Informationen, die dir Artikulationszeichen, Tempoangaben und Vortragsbezeichnungen vermitteln.

Dieses Buch lädt dich dazu ein, Musik aktiv zu erleben und zu gestalten und öffnet dir die Tür zu einer Welt voller kreativer Möglichkeiten und emotionaler Ausdruckskraft. Nimm dir die Zeit, die du brauchst, um dich nach und nach mit allen Aspekten dieser wunderbaren Kunst vertraut zu machen. Begib dich auf deine persönliche Entdeckungsreise in die Musik!

SCHRITT 1

DIE NOTENSCHRIFT

In unserem kulturellen Kontext hat sich im Verlauf einer langen Entwicklung die Notenschrift als unverzichtbares Mittel zur schriftlichen Aufzeichnung von Musik etabliert.

Dank der Notenschrift haben Musiker eine universelle Sprache, um Melodien und Rhythmen festzuhalten und weiterzugeben. Sie ermöglicht es uns, Musik zu lesen, zu verstehen und zu interpretieren, egal, welche Instrumente wir spielen oder welchen musikalischen Stil wir bevorzugen.

Das zentrale Element der ***Notenschrift*** ist die ***Note*** (von „nota" in Latein, was „Zeichen"bedeutet). Ihre Position auf den Linien und Zwischenräumen des ***Notensystems*** verrät uns die Tonhöhe, während ihre äußere Gestalt die Tonhöhe und Tondauer widerspiegelt. Somit vermittelt jede Note zwei fundamentale Informationen: einen Notennamen in Buchstabenform und einen mathematischen Notenwert.

DAS NOTENSYSTEM

Das Notensystem besteht aus fünf ***Notenlinien*** und vier ***Zwischenräumen***. Linien und Zwischenräume werden von unten nach oben nummeriert.

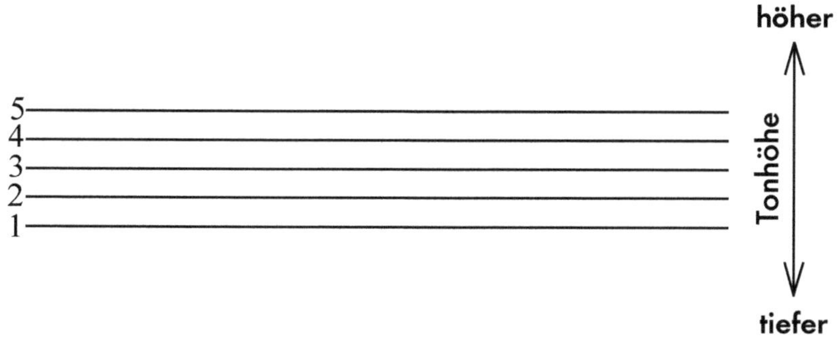

Notenlinien

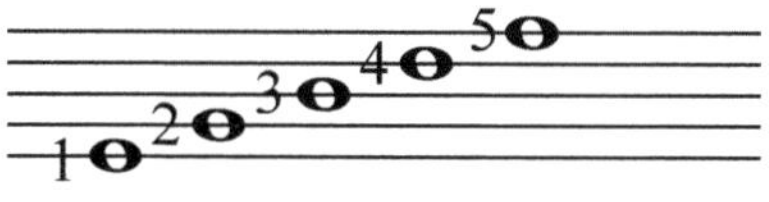

Zwischenräume

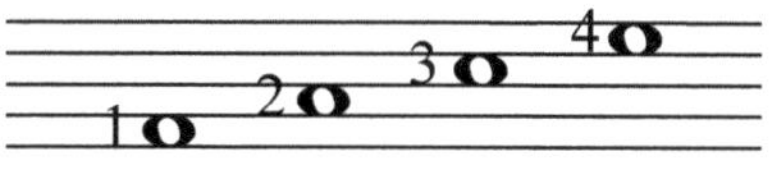

Eine Note besteht aus einem leicht ovalen Notenkopf, der entweder gefüllt oder leer sein kann, sowie einem Notenhals, Fähnchen oder Balken. Notenköpfe befinden sich entweder auf oder zwischen den Notenlinien.

NOTENSCHLÜSSEL

Der Notenschlüssel legt die Höhe der Töne im Notensystem fest. Die gebräuchlichsten Schlüssel sind der Violinschlüssel und der Bassschlüssel.

DER VIOLINSCHLÜSSEL (G-SCHLÜSSEL)

Der Violinschlüssel wird auch als ***G-Schlüssel*** bezeichnet, da er bei der zweiten Linie des Notensystems beginnt und dort den **Ton G** festlegt. Dadurch haben alle Töne einen festen Platz im Notensystem. Der Violinschlüssel ist der am meisten verwendete Notenschlüssel.

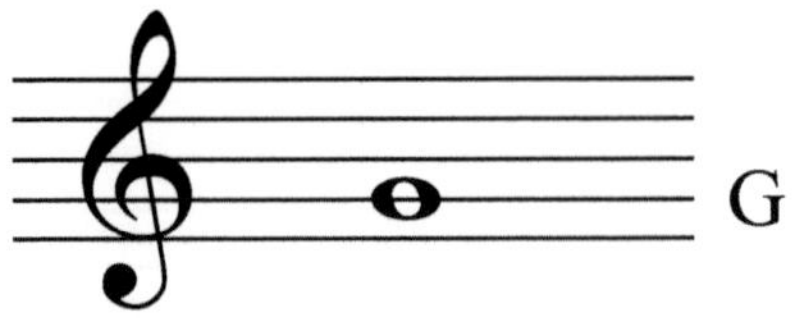

Hier hast du Platz, um den Violinschlüssel selbst zu schreiben. Beginne am Punkt und umkreise das G.

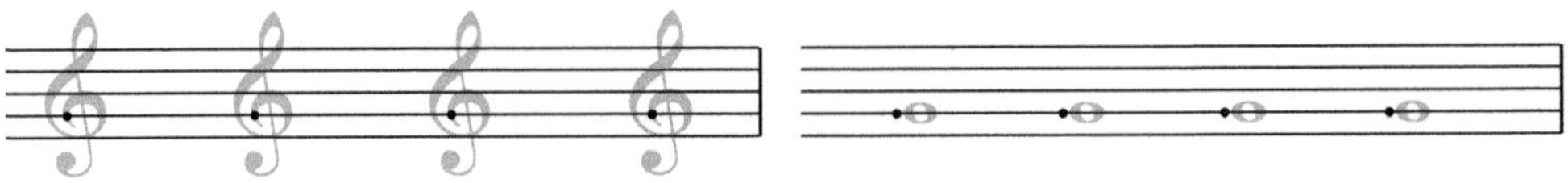

DER BASSSCHLÜSSEL (F-SCHLÜSSEL)

Der Bassschlüssel wird auch als ***F-Schlüssel*** bezeichnet, da er als stilisiert geschriebenes **F** festlegt, wo im Notensystem der **Ton F** zu finden ist. Er beginnt auf der vierten Linie und schließt diese mit seinen zwei Punkten ein. Er ist also anders zu lesen als der Violinschlüssel.

Hier hast du Platz, um den Bassschlüssel selbst zu schreiben.

! **Merke: Der Notenschlüssel legt die Höhe der Töne im Notensystem fest.**

ÜBUNG

NOTENSYSTEM

Zeichne ein Notensystem, indem du fünf gerade Linien im selben Abstand horizontal übereinandersetzt.

Nummeriere die Notenlinien im Notensystem von unten nach oben.

Zeichne abwechselnd einen Violinschlüssel und einen Bassschlüssel.

Beginne hier am G

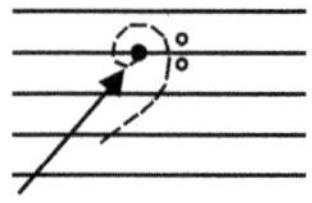

Beginne hier am F

! **Merke:** Das Ablesen der genauen Tonhöhe kann nur erfolgen, wenn am Anfang der Zeile ein Notenschlüssel steht.

Schreibe eine Note in jeden Zwischenraum des Notensystems.

Schreibe eine Note auf jede Zeile des Notensystems.

INSTRUMENTENKUNDE - DAS KLAVIER

Wenn man von Tasteninstrumenten spricht, dann denken die meisten wohl zuallererst an das Klavier. Es hat sich aus verschiedenen Vorgängern über mehrere Jahrhunderte zu seiner heutigen Form und seiner klanglichen und technischen Perfektion entwickelt. Bei den allermeisten klassischen Komponisten nimmt das Klavier eine zentrale Rolle in ihrem Schaffen ein - sei es, dass sie sich dieses Instruments bedienten oder bedeutende Kompositionen für das Klavier geschrieben haben. Neben den solistischen Darbietungen kommt dem Klavier auch als Begleitinstrument eine große Bedeutung zu. Dieses Instrument spielt jedoch nicht nur in der klassischen Musik eine zentrale Rolle, sondern auch im Jazz und in der Pop- bzw. Rockmusik ist es beinahe universal verbreitet, wobei dort oft dessen elektrische Varianten zum Einsatz kommen.

Die meisten modernen Klaviere verfügen über denselben großen Tonumfang, den sonst kaum ein anderes Instrument erreicht. Das gilt für große Konzertflügel als auch die als „Pianino" bezeichneten, aufrecht stehenden Klaviere. Das ist der Grund dafür, warum man zur Notation von Klaviermusik auf zwei miteinander verbundene Notensysteme zurückgreift, wobei eines meist im Bassschlüssel steht und das andere im Violinschlüssel.

Der Violinschlüssel wird in der Regel für die rechte Hand des Pianisten verwendet und repräsentiert die höheren Tonlagen auf dem Klavier. Der Bassschlüssel wird in der Regel für die linke Hand des Pianisten verwendet und repräsentiert die tieferen Tonlagen auf dem Klavier.

1 **HÖRBEISPIEL**
Eric Satie – „Gymnopedie No.1"

Klaviermusik ist sehr vielseitig und lässt sich verschiedenen Sparten zuordnen. Einige Beispiele sind:

Klavier als Soloinstrument:
Johann Sebastian Bach: „Das Wohltemperierte Klavier" (BWV 846–893)
Klaviersonaten von Wolfgang Amadeus Mozart oder von Ludwig van Beethoven, „Gymnopédies" und „Gnossiennes" von Eric Satie.

Klavier in der Kammermusik:
Franz Schubert: „Forellenquintett", D 667
César Franck: Klavierquintett in f-Moll

Klavierkonzerte mit Orchester:
Ludwig van Beethoven:
5. Klavierkonzert in Es-Dur, op. 73

SCHRITT 2

DIE NOTENNAMEN

Die Notennamen entstammen den ersten Buchstaben des Alphabets:

A B C D E F G

Unsere Stammtonreihe beginnt beim C:

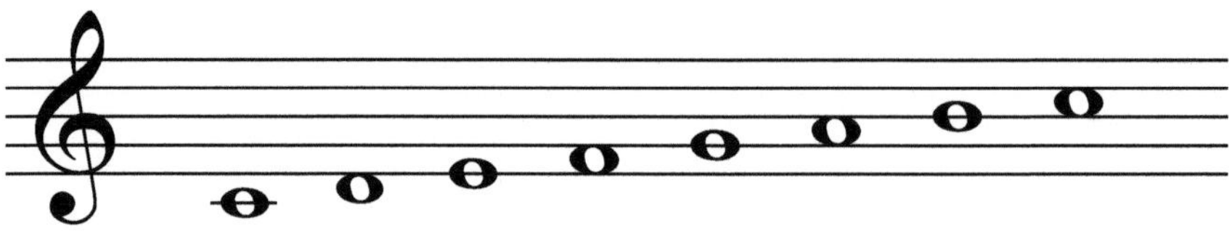

A H **C D E F G A H C** D E

! <u>Merke:</u> **Sag dir die Namen der Noten immer wieder laut vor!**

C D E F G A H C D E F G A H C D E F G A H …

Im englischsprachigen Raum wird unser H als b bezeichnet. Die tiefere Note b heißt dort b-flat (flat, engl. = um einen Halbton erniedrigt). In Italien, Frankreich oder Russland ist es üblich, Noten mit den Silben Do, Re, Mi, Fa, Sol, La, Si zu lernen.

Dies ist das Solmisationssystem und wird auch Solfège/Solfeggio genannt.

TIPP:

Beim Verwenden von Musikbüchern, insbesonders beim Spielen mit anderen Musikern, ist es wichtig zu überprüfen, in welchem System die Noten benannt sind.

DIE HILFSLINIEN

Reichen die fünf Notenlinien nicht aus, so benutzt man Hilfslinien.

Die kurzen Linien werden im Abstand der Notenzeile über oder unter dem Notensystem eingezeichnet.

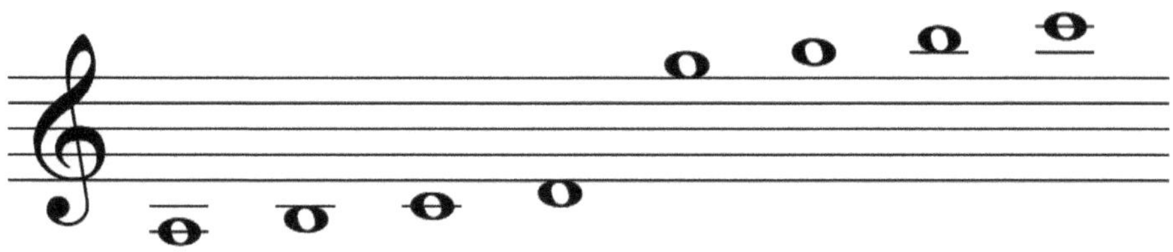

DIE OKTAVLAGEN

Um die Töne in den verschiedenen Oktavlagen eindeutig benennen zu können, bezeichnen wir sie mit Großbuchstaben, Kleinbuchstaben und Kleinbuchstaben mit Nummern.

Je höher die Oktave, desto höher die Nummer.

1. Große Oktave — **C - D - E - F - G - A - H**

2. Kleine Oktave — **c - d - e - f - g - a - h**

3. Eingestrichene Oktave — **c1 - d1 - e1 - f1 - g1 - a1 - h1**
oder
c´ - d´ - e´ - f´ - g´ - a´ - h´

4. Zweigestrichene Oktave — **c2 - d2 - e2 - f2 - g2 - a2 - h2**
oder
c´´ - d´´ - e´´ - f´´ - g´´ - a´´ - h´´

5. Dreigestrichenes c3

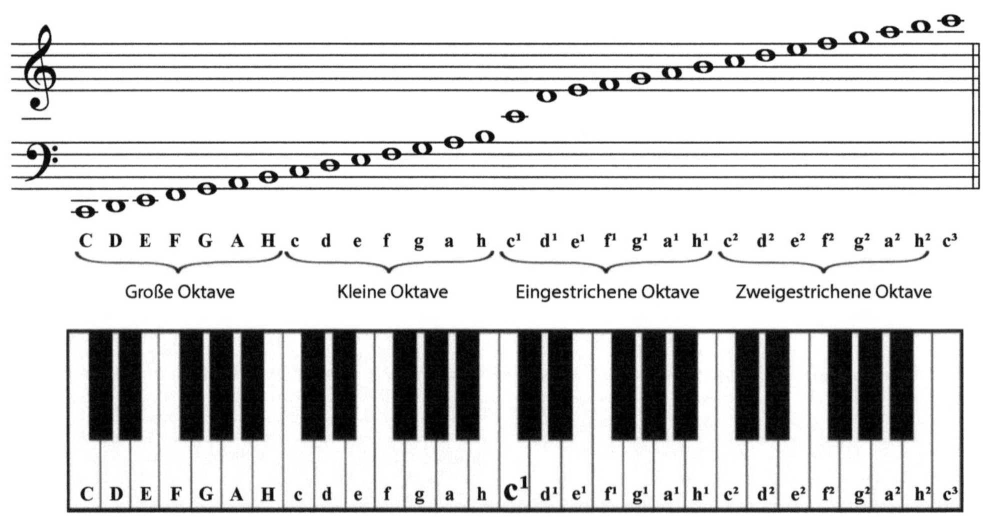

Schreibe die Notennamen und deren Oktavlage unter die Noten

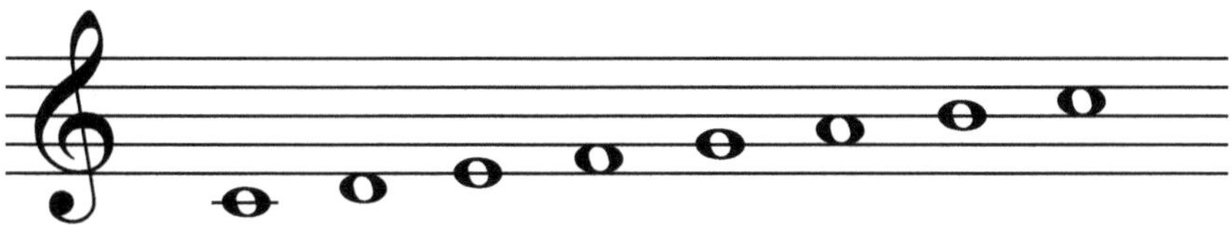

2 **HÖRBEISPIEL**
Die Oktavlagen

INSTRUMENTENKUNDE - DIE VIOLINE (GEIGE)

Innerhalb der abendländischen klassischen Musik gilt die Violine wohl als eines der bedeutendsten Instrumente. Sie ist zu einer großen Klangvielfalt fähig und hat einen weittragenden Ton, der sowohl in größeren Besetzungen als auch solistisch sehr variantenreich einsetzbar ist. Die Tonerzeugung erfolgt bei der Violine, die im allgemeinen Sprachgebrauch gerne als Geige bezeichnet wird, indem man mit einem mit Pferdehaaren bespannten Bogen über die Saiten streicht. Dadurch können sowohl kurze und prägnante als auch lang anhaltende konstante Töne erzeugt werden. Die Violine ist ein essenzielles Instrument in Sinfonieorchestern, wo sie als tragendes Melodie- und Harmonieinstrument oft in bis zu 20-facher Besetzung vorkommt (erste und zweite Violinen) und den mittleren bis hohen Tonbereich abdeckt.

Doch nicht nur in der klassischen Musik spielt die Violine eine überragende Rolle, auch im Bereich der Volksmusik und sogar im Jazz und in der Pop- bzw. Rockmusik kommt sie in verschiedenen Ausformungen immer wieder zum Einsatz. Notiert wird die Violine – wie sollte es anders sein – natürlich im Violinschlüssel.

So gut wie alle großen Komponisten haben Werke für die Violine als Soloinstrument oder in Kammermusik- bzw. Orchesterbesetzungen komponiert, deshalb kann hier nur eine kleine Auswahl interessanter und stilprägender Stücke genannt werden

Die Violine wird im Violinschlüssel notiert.

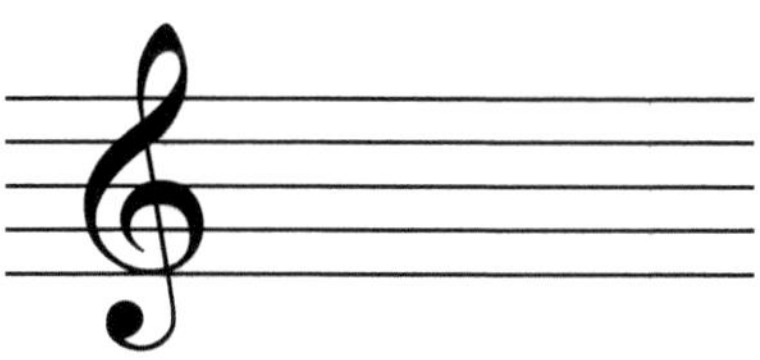

3 **HÖRBEISPIEL**
Niccolò Paganini – „Caprice 24"

Repräsentative Werke für die Violine sind:

- Antonio Vivaldi, „Die Vier Jahreszeiten", op. 8
- Felix Mendelssohn Bartholdy: Violinkonzert in E-Moll, op. 64, MWV O
- 14 Streichquartette von Josef Haydn oder Wolfgang Amadeus Mozart
- Sehr virtuose Werke für Solovioline sind von Niccolò Paganini überliefert, der auch den Beinamen „Teufelsgeiger" trug.

SCHRITT 3

NOTEN LESEN IM VIOLINSCHLÜSSEL

Diese Methode hat sich bewährt, da man sich nicht von Anfang an alle Noten merken kann.

Die Note g´, die gemeinsam mit dem G-Schlüssel auf der 2. Notenzeile sitzt, ist ein sicherer Hafen. Du kannst von dort aufwärts „zählen" ***g , a, h, c*** usw.

Folgende Merksprüche werden dir dabei helfen, die Noten im Violinschlüssel schneller zu bestimmen:

Die Noten auf den Notenlinien

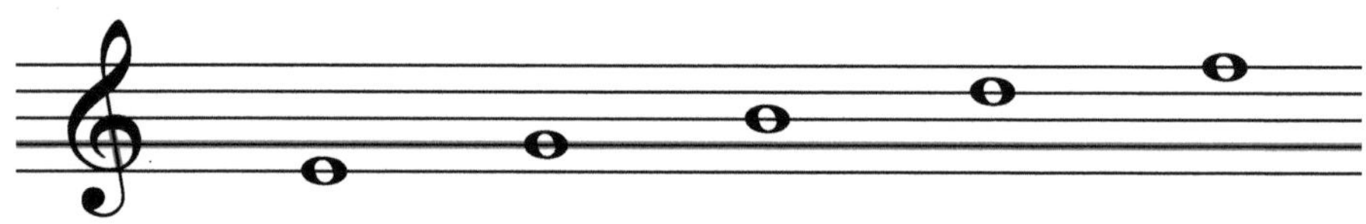

e´ g´ h´ d´´ f´´

Es gibt heute Dosen - futter

Die Noten zwischen den Notenlinien

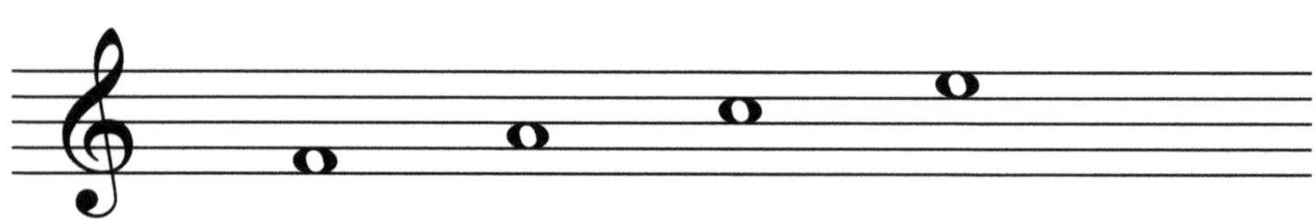

f´ a´ c´´ e´´

Merke dir hier die „Gesichtsmethode" engl.: f a c e

Zuerst üben wir die Noten auf den Notenlinien, dann die Noten zwischen den Notenlinen. Im nächsten Schrift verbinden wir beide Methoden e, f, g, a, h, c, d usw.

ÜBUNG

NOTEN AUF DEN ZEILEN

(es gibt heute dosen - futter)

Wie heißen die folgenden Noten auf den Notenlinien?

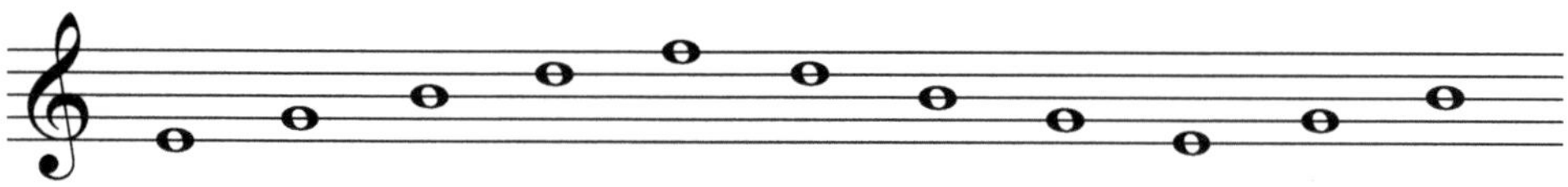

Zeichne den Violinschlüssel an den Anfang des Notensystems und benenne die Noten.

Zeichne den Violinschlüssel an den Anfang des Notensystems und zeichne die Noten ein.

e´ g´ h´ d´´ f´´ d´´ h´ g´ e´ g´ h´

Zeichne den Violinschlüssel an den Anfang des Notensystems und zeichne die Noten ein.

h´ f´´ d´´ g´ e´ g´ d´´ g´ f´´ d´´ e´

ÜBUNG

NOTEN ZWISCHEN DEN ZEILEN

(fritz aß citronen-eis)

Wie heißen die folgenden Noten zwischen den Notenlinien?

Zeichne den Violinschlüssel an den Anfang des Notensystems und benenne die Noten.

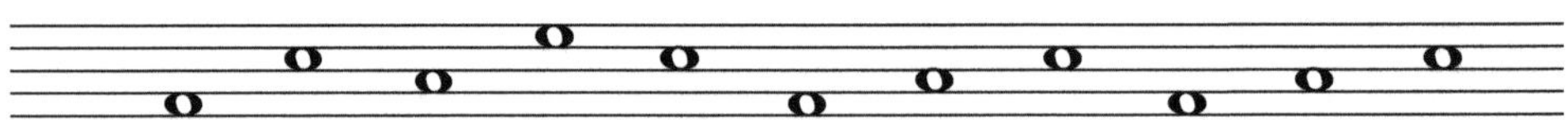

Zeichne den Violinschlüssel an den Anfang des Notensystems und zeichne die Noten ein.

f′ a′ c′′ e′′ c′′ a′ f′ a′ c′′ e′′ c′′

Zeichne den Violinschlüssel an den Anfang des Notensystems und zeichne die Noten ein.

a′ e′′ c′′ f′ c′′ f′ e′′ a′ f′ c′′ e′′

NOTIZEN UND EIGENE ÜBUNGEN

INSTRUMENTENKUNDE - DIE GITARRE

Ihrer musikalischen Vielseitigkeit, der handlichen Größe und den relativ geringen Kosten hat es die Gitarre wahrscheinlich zu verdanken, dass sie sich beinahe auf der ganzen Welt und in allen Musikrichtungen etablieren konnte. Historisch leitet sich die zu den Zupfinstrumenten zählende Gitarre aus der Lautenfamilie her und wurde nach und nach umgeformt und perfektioniert, bis sie im ca. 19ten Jahrhundert ihre jetzige Gestalt erhielt. Einen großen Beitrag zu ihrer Popularität haben aber natürlich auch die späteren elektrischen Varianten geleistet, die für den weltweiten Siegeszug der Pop- und Rockmusik wesentlich verantwortlich sind.

Heute unterscheidet man im Großen und Ganzen zwischen drei verschiedenen Gitarrentypen:

- Die klassische Gitarre bzw. die Konzertgitarre, die einerseits sowohl solistisch als auch im Ensemble in der klassischen Musik und in der Folklore beheimatet ist. Ihre sechs Saiten bestehen zumeist aus mit Draht umsponnenem Nylon.

- Die mit Stahlsaiten ausgestattete „akustische Gitarre", bzw. „Westerngitarre", wird sehr häufig zur Liedbegleitung eingesetzt, hat aber auch in der Folkmusic Bedeutung gefunden.

- Die Elektrogitarre (wozu man auch den E-Bass zählt) ist in vielen verschiedenen Ausprägungen vor allem in der Pop- und Rockmusik sowie im Jazz zuhause. Sie wird ebenfalls mit Stahlsaiten bespannt und häufig mit einem Plektrum gespielt.

Egal, um welche Musik es sich handelt, die Gitarre wird immer im Violinschlüssel notiert, wenngleich manchmal durch einen unten angehängten Achter darauf hingewiesen wird, dass die Töne auf diesem Instrument eine Oktave tiefer klingen als notiert. Eine Besonderheit der Gitarrennotation ist die Tabulatur, auf der mithilfe einer graphischen Darstellung gezeigt wird, welche Töne in welchem Bund und auf welcher Saite zu spielen sind.

BONUS

GITARRENTRAINING

Repräsentative Werke für die Gitarre sind:

- Isaac Albeniz - „Asturias" eigentlich eine Komposition für Klavier, die für GITARRE transkribiert wurde.
- Paco De Lucia - „Entre dos Aguas", Flamenco Rumba.
- Francisco Tarrega - „Recuerdos de la Alhambra".
- Anonym - „Die Spanische Romanze", aus dem 19. Jahrhundert.

ÜBUNG

NOTEN LESEN

TIPP: Suche zwei für dich markante Stellen im Notensystem und merke dir die Notennamen an diesen Positionen. So schaffst du dir Bezugspunkte.

Wie heißen die folgenden Noten im Violinschlüssel?

Zeichne den Violinschlüssel an den Anfang des Notensystems und benenne die Noten.

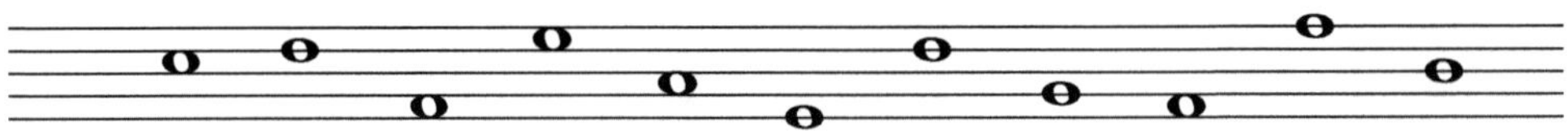

Zeichne den Violinschlüssel an den Anfang des Notensystems und zeichne die Noten ein.

e′ c″ g′ f″ c″ d″ h′ a′ f″ e″ c″

f′ h′ c″ d″ e″ a′ g′ e″ e′ c″ h′

NOTIZEN UND EIGENE ÜBUNGEN

INSTRUMENTENKUNDE - DAS VIOLONCELLO (CELLO)

Das Violoncello, kurz Cello genannt, ist ein Streichinstrument, das im Sitzen gespielt wird und mithilfe eines Metallstachels auf dem Boden zwischen den Beinen des Spielers steht.

Es deckt vor allem den mittleren bis tiefen Tonbereich ab und ist seit dem 16ten Jahrhundert ein wichtiger Bestandteil von Kammermusik- oder Orchesterbesetzungen, wird aber auch gerne für solistische Passagen oder als reines Soloinstrument eingesetzt. Der Klang des Cellos ist gut modulierbar und reicht vom metallisch-kratzenden Spektrum bis in den schmeichlerisch weichen und runden Bereich. Trotzdem konnte sich das Violoncello außerhalb der Welt der klassischen Musik nicht nachhaltig etablieren, wenngleich man es auch in eher ungewöhnlichen Zusammenhängen antreffen kann. Notiert wird das Cello in verschiedenen Schlüsseln. Abhängig von der zu notierenden Tonhöhe findet der Bassschlüssel genauso Verwendung wie der Violinschlüssel, in manchen Fällen wird auch auf den Tenorschlüssel zurückgegriffen.

Das Cello wird überwiegend im Bassschlüssel notiert.

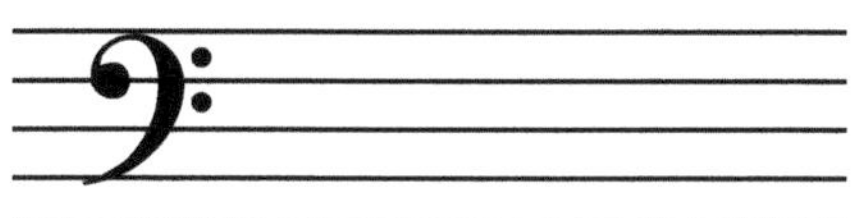

4

HÖRBEISPIEL
Johann Sebastian Bach -
BWV 1007 „Cellosuite 1" Prelude

Es gibt zahlreiche großartige Kompositionen beinahe aller klassischen Komponisten vom Barock bis zur Gegenwart, in denen das Violoncello eine tragende Funktion einnimmt, z. B. in Streichquartetten oder solistisch in den Vordergrund tritt. Hier ein paar Beispiele:

- Johann Sebastian Bach: Suiten für Violoncello solo (insgesamt sind 6 Stück davon überliefert)
- Luigi Boccherini: Cellokonzerte
- Camille Saint-Saëns: „1er Concerto pour Violoncelle" in A-Moll, op. 33

SCHRITT 4

NOTEN LESEN IM BASSSCHLÜSSEL

Auch im Bassschlüssel gibt es einen Orientierungspunkt, der sich anbietet. Das **F** auf der 4. Notenlinie, das der Bassschlüssel (F-Schlüssel) markiert.

Es ist jedoch davon abzuraten, den Bassschlüssel wie einen Violinschlüssel zu lesen, dem die 1. Notenzeile fehlt.

Folgende Merksprüche werden dir helfen, die Noten im Bassschlüssel schneller zu bestimmen:

Die Noten auf den Notenlinien

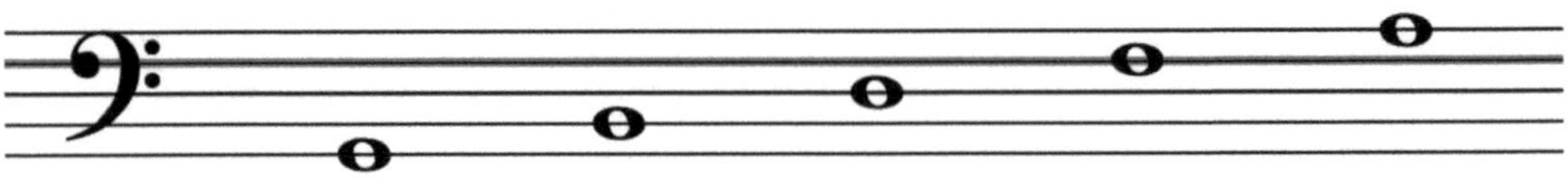

G H d f a

Gibt´s Heute Dosen - Futter Abends?

Die Noten zwischen den Notenlinien

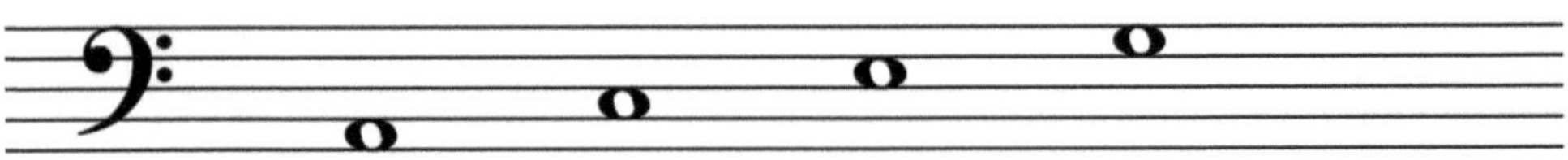

A c e g

Auch Clowns essen Gemüse oder: ***(f) a c e + g***

! <u>Merke:</u> Das f ist ein guter Orientierungspunkt im Bassschlüssel.

ÜBUNG

NOTEN LESEN

Wie heißen die folgenden Noten?

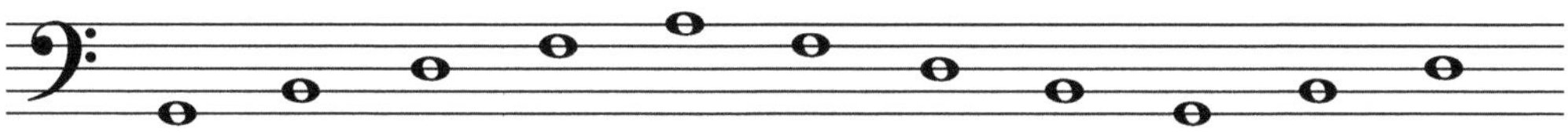

Zeichne den Bassschlüssel an den Anfang des
Notensystems und benenne die Noten.

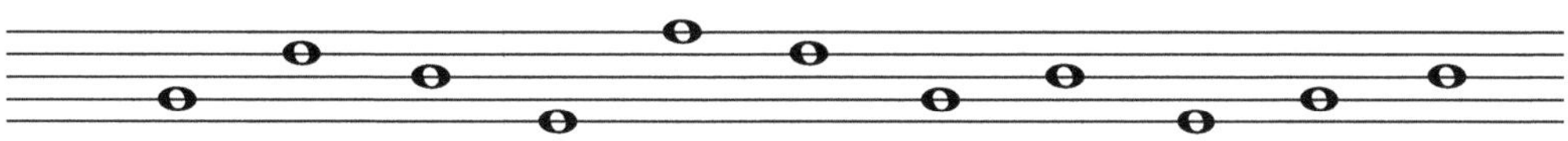

Zeichne den Bassschlüssel an den Anfang des
Notensystems und zeichne die Noten ein.

G H d f a f d H G H d

Zeichne den Bassschlüssel an den Anfang des
Notensystems und zeichne die Noten ein.

f H d G a H f a d G f

ÜBUNG
NOTEN LESEN

Wie heißen die folgenden Noten?

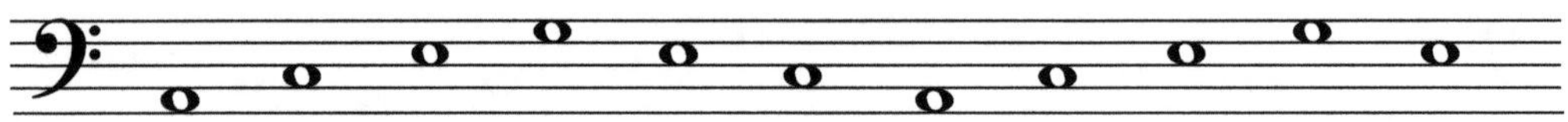

Zeichne den Bassschlüssel an den Anfang des Notensystems und benenne die Noten.

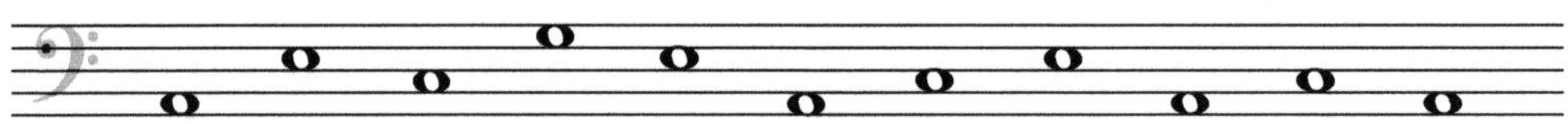

Zeichne den Bassschlüssel an den Anfang des Notensystems und zeichne die Noten ein.

A c e g e c A c e g e

Zeichne den Bassschlüssel an den Anfang des Notensystems und zeichne die Noten ein.

e g c A c g e c A g c

SCHRITT 5

NOTEN LESEN IM KLAVIERSYSTEM

Gruppenklammer

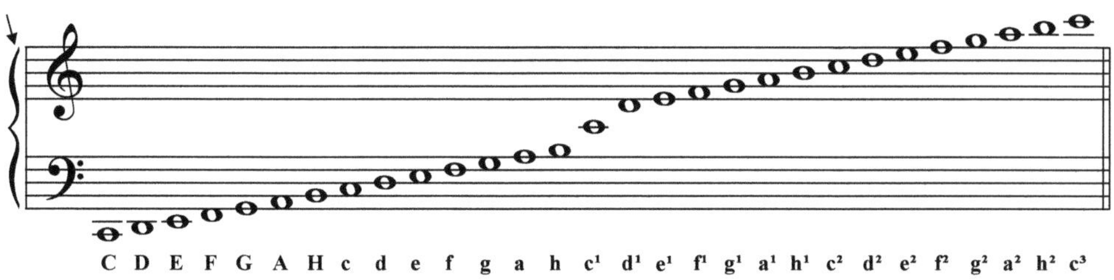

Position des Schlüssellochs beim Klavier

DAS SCHLÜSSELLOCH C1

Ein guter Orientierungspunkt, um sich die Noten einzuprägen, ist das c1, auch eingestrichenes-c, oder mittleres-c genannt. Beim Klavier sitzt das Schlüsselloch in der Mitte der Tastatur und somit in der Nähe des c'.

Die Hilfslinie der Note c1 bildet die zentrale Achse beider Systeme und verbindet sie miteinander.

Sie ist sowohl die erste Hilfslinie unter dem Notensystem im Violinschlüssel als auch die erste Hilfslinie über dem Notensystem des Bassschlüssels:

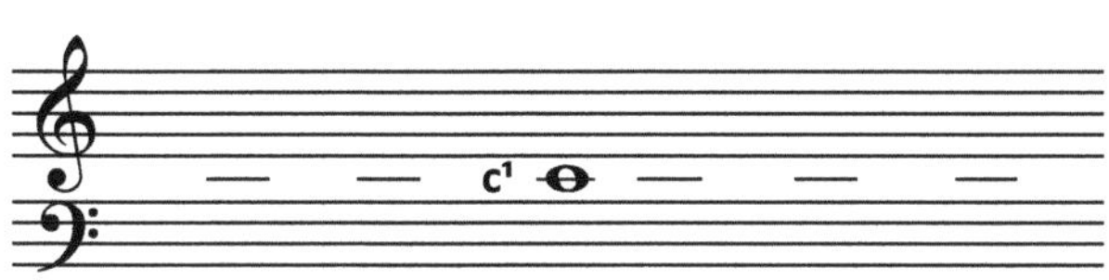

ÜBUNG

KLAVIERSYSTEM

Zeichne die Taktstriche, die Notenschlüssel und die geschweifte Klammer in das Klaviersystem ein.

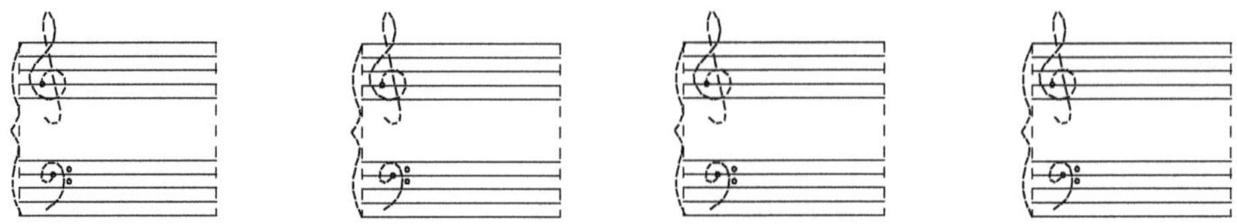

Benenne die Noten.

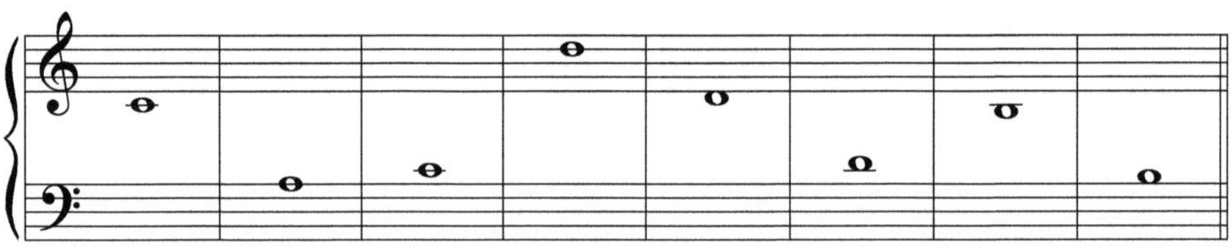

Benenne die Noten.

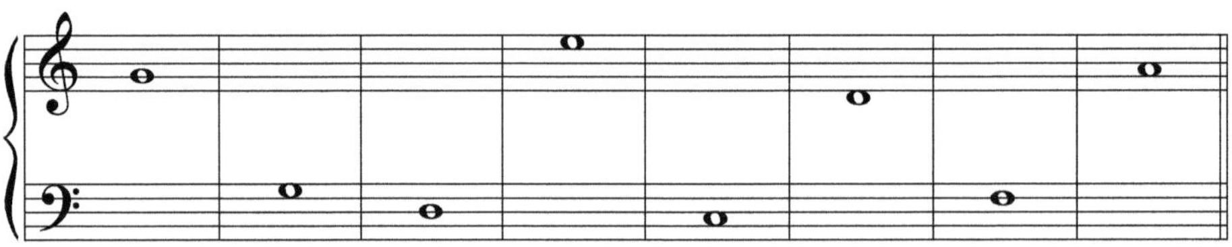

Benenne die Noten.

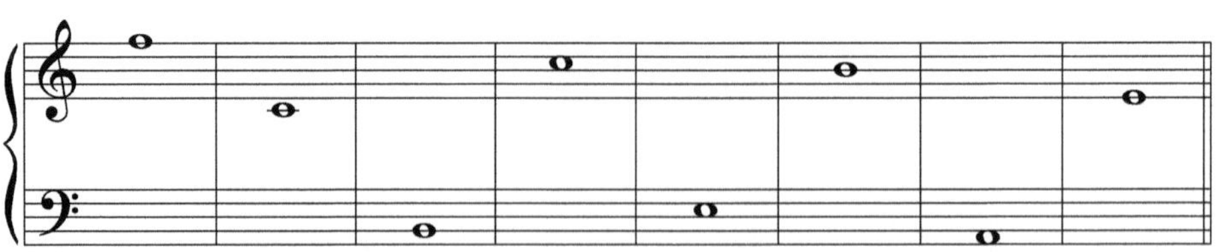

ÜBUNG

NOTEN LESEN

Wie heißen die folgenden Noten?
Achte genau auf die Notenschlüssel.

Wie heißen die folgenden Noten?

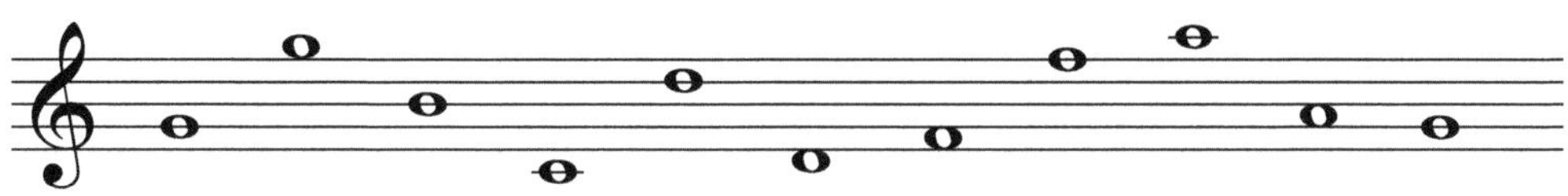

Wie heißen die folgenden Noten?

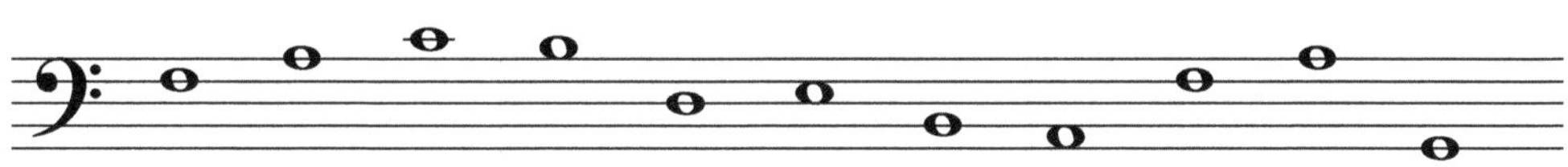

Zeichne den Violinschlüssel an den Anfang des Notensystems und benenne die Noten.

SCHRITT 6

NOTEN AUF DEN HILFSLINIEN

Die Hilfslinien im Notensystem sind zusätzliche Linien, die über oder unter dem Notensystem hinzugefügt werden, um Noten darzustellen, die außerhalb der fünf Hauptlinien liegen. Dies kann man sowohl im Bass- als auch im Violinschlüssel machen, um den Tonumfang zu erweitern.

Die Hilfslinien im Violinschlüssel

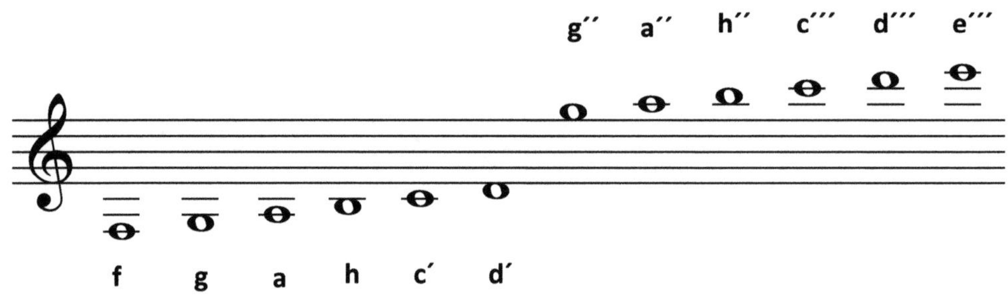

Die Hilfslinien im Bassschlüssel

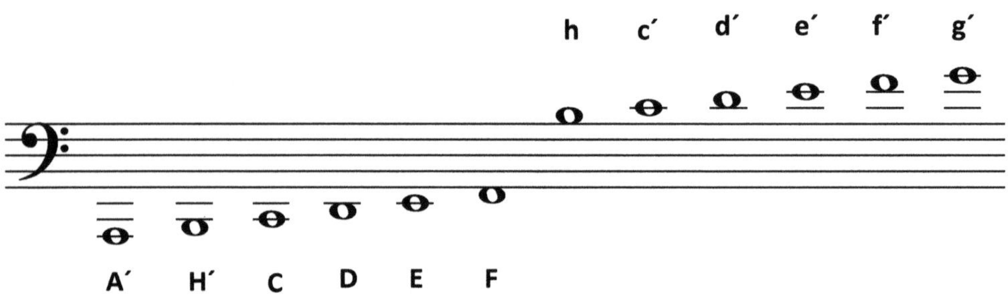

ÜBUNG
NOTEN LESEN

Wie heißen die folgenden Noten?

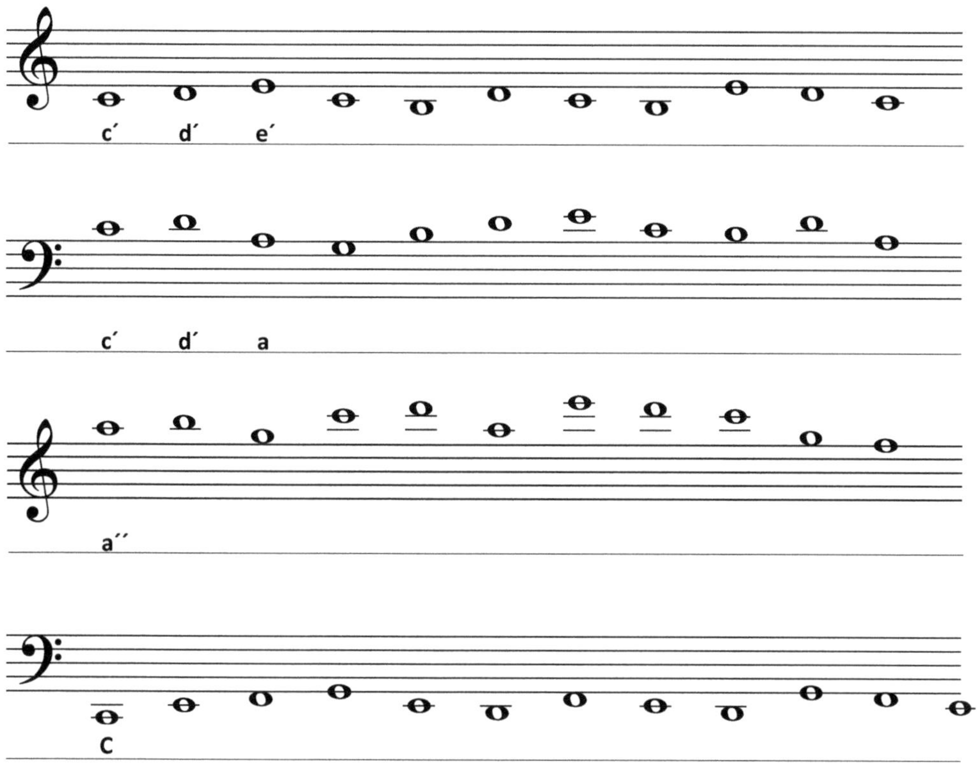

Zeichne oben den Violinschlüssel und unten den Bassschlüssel an den Anfang des Notensystems und zeichne die Noten ein.

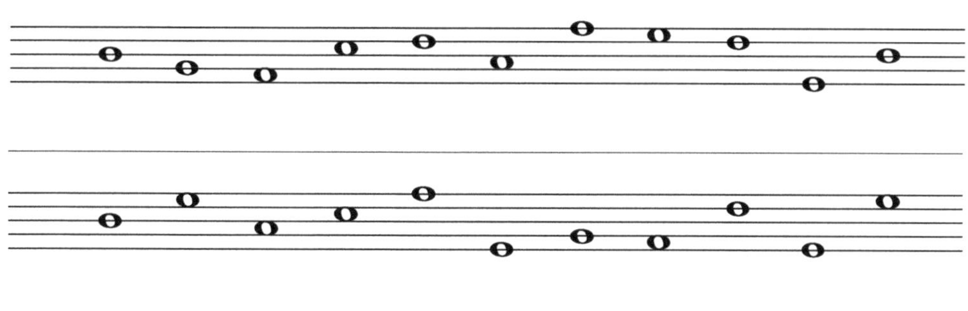

Weitere progressive Übungen zum Notenlesen findest du im Buch auf Seite 128

SCHRITT 7

RHYTHMUS VERSTEHEN

Der zeitliche Ablauf der Musik wird durch den ***Rhythmus*** bestimmt.
Der ***Rhythmus*** gliedert die Musik in lange und kurze Tondauern.

Das ***Metrum*** ist für die Akzente in der Musik verantwortlich (metrische Akzente).

Die rhythmisch-metrische Ordnung erfolgt in ***Takten***.

DER PULS

Der Puls ist der gleichmäßige Grundschlag der Musik.
Wie ein gleichmäßiges Klatschen oder Stampfen.

Die Geschwindigkeit des Pulses ist nicht absolut festgelegt.

Wenn der Puls regelmäßig betonte und unbetonte Schläge hat, entsteht eine Betonungsordnung, die Metrum genannt wird.

DER TAKT

Abhängig davon, wie viele leichte Schläge zwischen den betonten bzw. schweren Schlägen liegen, entstehen unterschiedliche Taktarten. Dabei ist der erste Schlag im Takt immer ein schwerer Schlag.

Um zu erkennen, wann ein Takt endet und ein neuer beginnt, werden Trennungsstriche zwischen den Takten gesetzt. Diese werden Taktstriche genannt. Damit klar ist, um welche Taktart es sich handelt, wird links die entsprechende Zahl notiert.

! **<u>Merke:</u> Der Takt ist die aus metrischen Betonungsverhältnissen abgeleitete Gruppierung.**

NOTENWERTE

Die Tondauer lässt sich am Aussehen der Note erkennen.
Am Anfang lernen wir die Ganze Note, die Halbe Note und die Viertelnote.

Notenwert	Aussehen	Schläge	Pyramide
Ganze Note	𝅝	1 2 3 4	𝅝
Halbe Note	𝅗𝅥	1 2	𝅗𝅥 𝅗𝅥
Viertelnote	♩	1	♩ ♩ ♩ ♩

TAKTART

Die Taktart steht am Anfang des Musikstückes.
Sie besteht aus zwei übereinanderstehenden Ziffern.

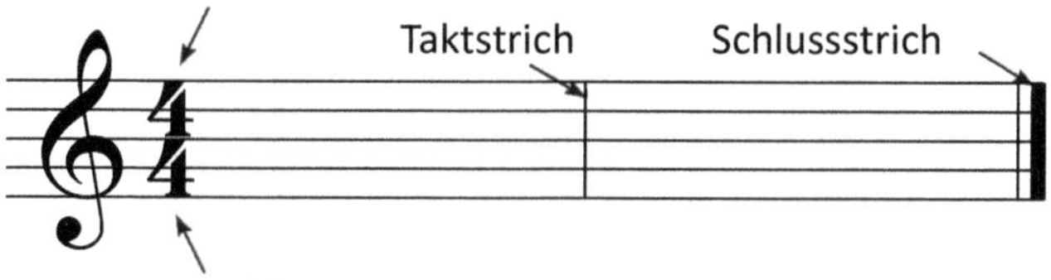

Ein Takt muss immer vollständig mit *Notenwerten* oder *Pausenwerten* ausgefüllt werden!
Im $\frac{4}{4}$-Takt zählt man also vier Viertelnoten pro Takt.

ÜBUNG

NOTENWERTE UND TAKT

Im  gilt also:

Ein ganze Note hat die Dauer des ganzen Taktes.
Eine halbe Note hat die Dauer des halben Taktes.
Eine Viertelnote dauert nur ein Viertel des Taktes.

Schreibe die Taktangabe hinter den Notenschlüssel und benenne die Noten.

Zeichne die Taktstriche an der richtigen Stelle ein und benenne die Noten.

Bringe die Notenwaagen ins Gleichgewicht.
Welche anderen Notenwerte kannst du einsetzten?
Es gibt manchmal mehrere Antwortmöglichkeiten.

DEIN MEILENSTEIN NACH 7 LEKTIONEN

Die ersten Schritte sind vollbracht!

Herzlichen Glückwunsch! Du hast die ersten sieben Lektionen absolviert und damit die wichtigsten Grundlagen geschaffen, um dich in der Notenschrift und rhythmischen Strukturen zu bewegen. Nun wollen wir das Erlernte vertiefen. Die folgenden Lektionen werden dich weiter auf deiner spannenden Reise in die Welt des Rhythmus und der Musiktheorie begleiten.

- Wie würdest du deinen bisherigen Lernerfolg einschätzen?
- Gib gerne eine kurze Rezension auf der Plattform ab, auf der du dieses Buch gekauft hast.
- Hast du vielleicht noch Fragen oder Anregungen?

GEHÖRBILDUNG

LESEN, SCHREIBEN, HÖREN

Indem man Lesen, Schreiben und Hören kombiniert, entwickelt man ein ganzheitliches Verständnis für Musik. Genau wie Kinder in der Schule Lesen und Schreiben lernen, um Texte vollständig zu erfassen, ermöglicht die Integration dieser Elemente auch in der Musik eine ganzheitliche Lernerfahrung.

Das Buch enthält Hörbeispiele, um dein Gehör zu schulen und um dir dabei zu helfen, Musik visuell und auditiv zu erfassen. Das Einbeziehen von Gehörbildung in das Notenlesen fördert eine umfassendere musikalische Kompetenz. Ähnlich verhält es sich beim Wiedergeben von Musik. Das Erlernen eines Instruments oder des Gesangs entspricht dem Vorlesen in der Schule. Beide Aktivitäten erfordern Übung, Verständnis und eine gewisse Interpretationsfähigkeit, um die Inhalte, gleichwohl ob Worte oder Noten, zum Leben zu erwecken

5

HÖRBEISPIEL
Zusatzaufgabe

Du hörst zwei Töne nacheinander klingen. Zeichne ein, ob der zweite Ton höher oder tiefer ist als der erste Ton.

GESANG - DIE MENSCHLICHE STIMME

Die menschliche Stimme ist das wohl faszinierendste und persönlichste aller Musikinstrumente. Jede Stimme ist einzigartig in ihrer Klangfarbe und Ausdruckskraft und vermag es, Emotionen auf eine unvergleichliche Weise zu übermitteln. Gesang fördert nachweislich soziale Bindungen und psychische Gesundheit, indem er zur Ausschüttung von Endorphinen beiträgt und das Gefühl der Zugehörigkeit stärkt. Er ist nicht nur ein Instrument, sondern auch ein Mittel zur emotionalen und sozialen Kommunikation.

Trainiere deine Stimme in unserem Gesangs-Workshop.

BONUS

GESANGS-WORKSHOP

DIE HÄUFIGSTEN TAKTARTEN

Die am weitesten verbreitete Taktart ist der 4/4-Takt. Diese Taktart ist so gebräuchlich, dass sie häufig am Anfang eines Musikstücks mit einem großen C abgekürzt wird, was für „common time" (üblicher Takt) steht.

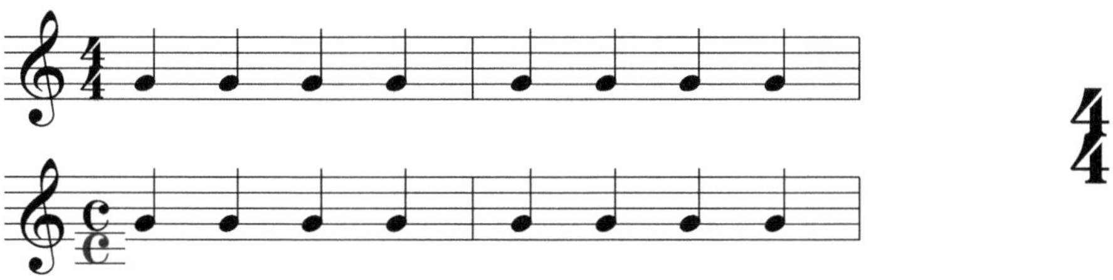

Der 2/4-Takt hat eine schwere und eine leichte Zählzeit 1 2 1 2 1 2 1 2
Er wirkt deshalb statischer als der 4/4-Takt bei dem die 1 schwerer ist als die 3.

Der 2/2-Takt, auch als „alla breve" bezeichnet und kommt ebenfalls häufig vor.
Hier wird im Grunde genommen ein 4/4-Takt halbiert (das C wird längs durchgestrichen). In jedem Takt sind zwei Schläge vorhanden. Wenn in einem 2/2-Takt vier Viertelnoten stehen, zählt man sie 1 und 2 und anstatt wie beim 4/4-Takt 1, 2, 3, 4.

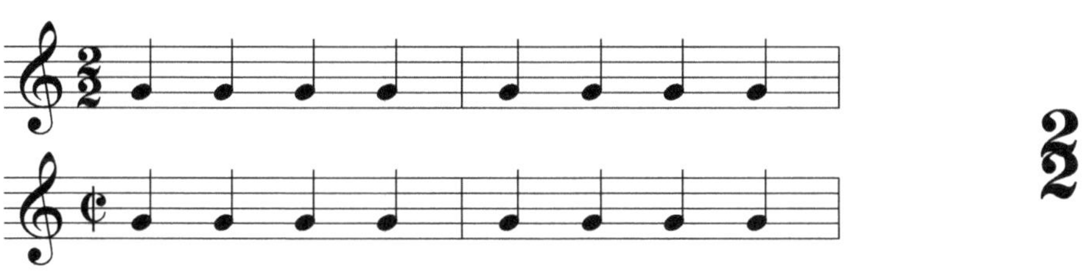

Im 3/4-Takt erfolgen drei Grundschläge pro Takt, wodurch ein unverkennbarer Walzerrhythmus entsteht. Johann Strauss II trug zur Popularität dieses Rhythmus im Wien des 19. Jahrhunderts bei, indem er ihn geschickt in seinen berühmten Walzerkompositionen einsetzte. Die Taktart 3/4 mit drei Grundschlägen pro Takt zählt zu den ternären Takten.

Die Takte mit einer geraden Anzahl an Grundschlägen pro Takt zur Gruppe der binären Takte.

6

HÖRBEISPIEL
Pjotr Iljitsch Tschaikowsky: Blumenwalzer aus dem Ballett „Der Nussknacker"

DER DIRIGENT

In der Welt der Musik spielt der Dirigent eine entscheidende Rolle. Um ein Orchester oder Ensemble zu führen und zu koordinieren, verkörpert er die Musik und gibt ihr einen menschlichen Ausdruck. Mit seinem Dirigierstab, seinen Handbewegungen und seiner Mimik und Gestik lenkt er die Musiker und erweckt Emotionen in der Musik.

Der Dirigent ist zuständig für:

- ***Tempo und Taktgebung***
- ***Dynamik und Ausdruck***
- ***Interpretation***
- ***Beginn und Schluss des Stücks***

Schlagfigur oder Taktierfigur:

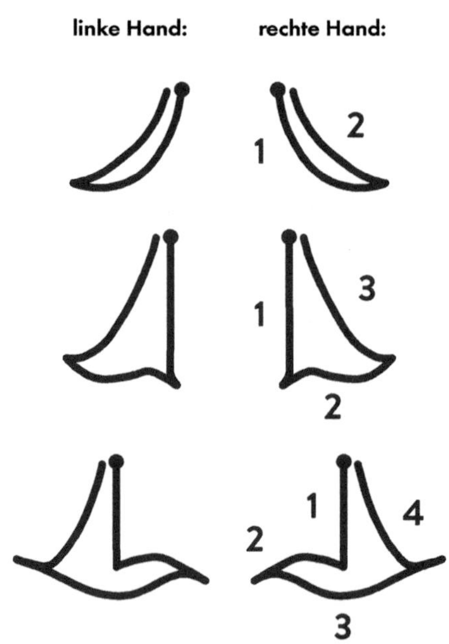

- 2/4-Takt: In diesem Takt schlägt der Dirigent den Takt in zwei gleichmäßigen Schlägen. Die Betonung liegt auf dem ersten Schlag nach unten, während der zweite Schlag schwächer ist.

- 3/4-Takt: Hier schlägt der Dirigent drei gleichmäßige Schläge pro Takt, wobei wieder der erste Schlag nach unten betont wird und die beiden folgenden Schläge schwächer sind.

- 4/4-Takt: Der Dirigent schlägt vier gleichmäßige Schläge pro Takt. Mit dem ersten Schlag markiert er sichtbar die Eins.

Zusatzaufgabe: Nenne zwei bekannte Dirigenten.

1. ______________________________ **2.** ______________________________

PUNKTIERTE HALBE NOTE

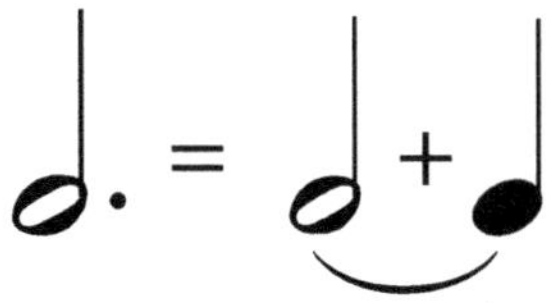

Ein Punkt hinter der Note erhöht den Notenwert um die Hälfte ihres eigentlichen Werts. Eine punktierte halbe Note klingt also so lang wie eine halbe Note plus einer Viertelnote und dauert drei Taktschläge.

ÜBUNG

TAKTARTEN

Im  gilt:

Eine punktierte halbe Note dauert genau einen Takt.
Eine Viertelnote dauert nur ein Drittel des Taktes.

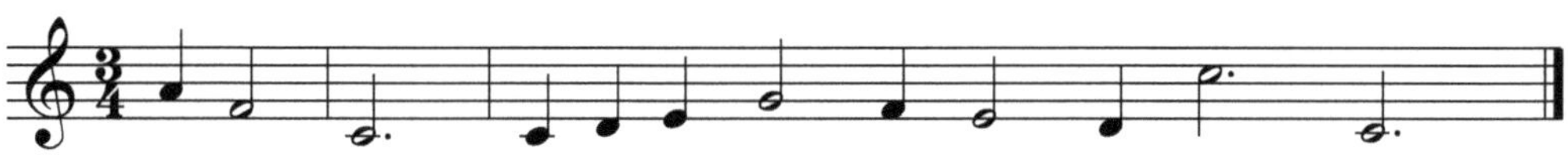

Zeichne die Taktstriche an der richtigen Stelle ein und benenne die Noten.

Schreibe die Taktangabe hinter den Notenschlüssel und benenne die Noten.

Bringe die Notenwaagen ins Gleichgewicht.
Welche alternativen Notenwerte kannst du einsetzten?
Es gibt manchmal mehrere Antwortmöglichkeiten.

NOTIZEN UND EIGENE ÜBUNGEN

INSTRUMENTENKUNDE - DAS SCHLAGWERK

Als Schlagwerk bezeichnet man eine sehr große und vielgestaltige Gruppe von verschiedenen Instrumenten, die zwar vorwiegend der rhythmischen Gestaltung der Musik dienen, in manchen Fällen aber auch melodische Funktionen übernehmen können. Von Bedeutung sind hier die Membranophone wie Pauken und Trommeln, bei denen die Töne mithilfe gespannter Membranen erzeugt werden. Aber auch Idiophone (Selbstklinger) kommen häufig zum Einsatz, zum Beispiel Becken oder Triangeln sowie einfache Klanghölzer bis hin zu Marimbaphonen und Glockenspielen.

Es gibt kaum Orchesterkompositionen, die sich nicht der klanglichen und rhythmischen Effekte dieser Instrumentengruppe bedienen, um Akzente zu setzen und zu unterstreichen. Teilweise werden die Schlagwerker sogar als Solisten in den Vordergrund gestellt. Dass Perkussionsinstrumente und das klassische Schlagzeug in der Pop- und Rockmusik und Folklore eine große Rolle spielen, bedarf kaum einer Erwähnung, da dies den meisten Menschen eine Selbstverständlichkeit ist.

Entsprechend vielgestaltig wie diese Instrumente sind auch die Methoden, wie ihre Noten notiert werden. Teilweise finden hier die vertrauten Notenschlüssel Verwendung aber auch spezielle Schlagzeug-Schlüssel (zwei kurze senkrechte und parallele Linien zwischen der zweiten und der vierten Linie des Notensystems), der keine Notenhöhe festlegt.

Beispiel einer Drum-Set-Notation:

7 HÖRBEISPIEL
Drumsolo

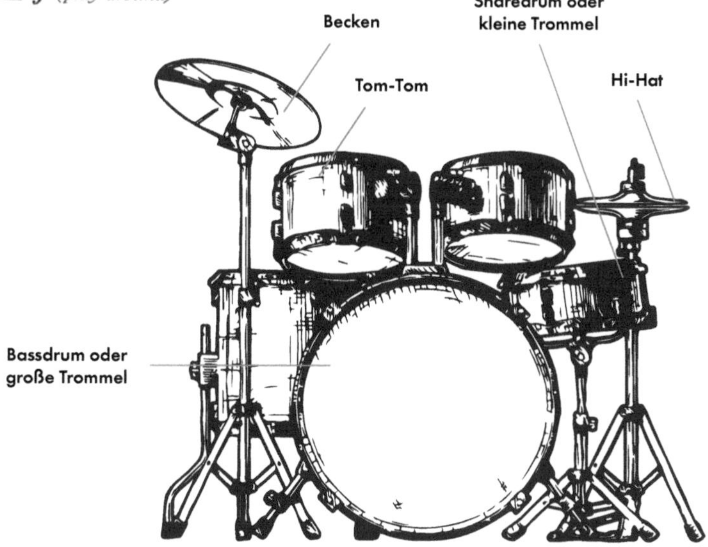

NEUE NOTEN UND PAUSENWERTE

DIE RHYTHMUSPYRAMIDE

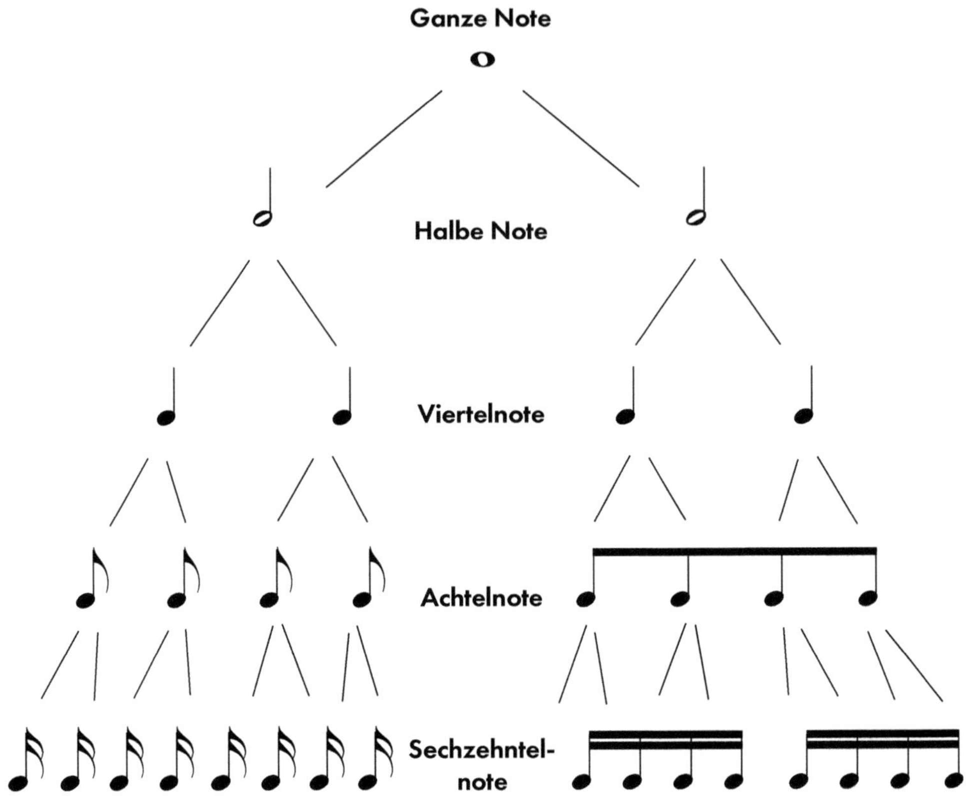

Die Pausenwerte

BALKEN STATT FÄHNCHEN – GRUPPIERUNG

Ketten von Achtel- oder Sechzehntelnoten werden zur besseren Lesbarkeit mithilfe von Balken gruppiert. Obwohl es sich hier um den selben Rhythmus handelt, ist das linke Beispiel viel einfacher lesbar.

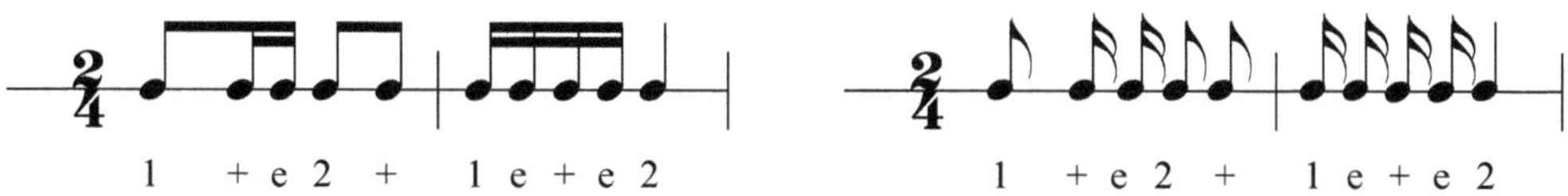

Die Anzahl der übereinander angeordneten Balken entspricht der Anzahl der Fähnchen der einzelnen Noten. Achtelnoten haben einen Balken, Sechzehntelnoten haben zwei Balken usw. Balken beginnen stets auf einem geraden Viertelschlag.

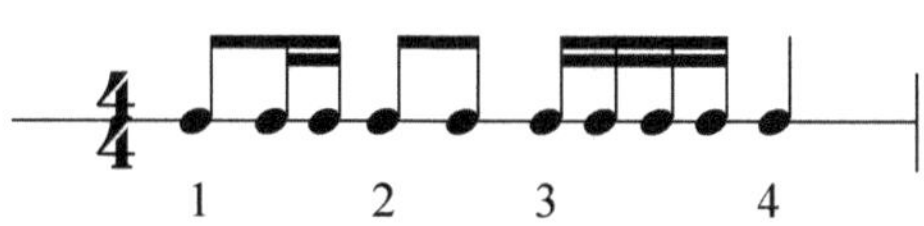

Bestehen die ersten beiden, oder die letzten beiden Zählzeiten ausschließlich aus Achtelnoten, bekommen sie einen gemeinsamen Balken.

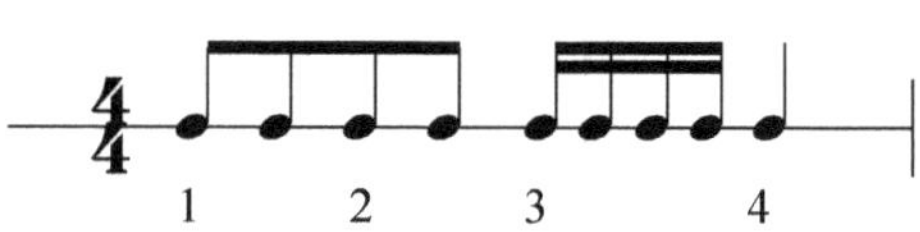

Die Achtelgruppen im 4/4-Takt dürfen jedoch nie die Taktmitte überschreiten!

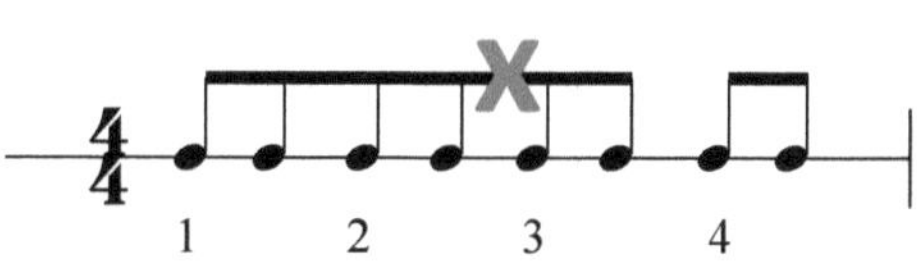

Der 3/4-Takt hat 3 Zählzeiten zu je einem Viertel.
Wir gruppieren die Noten in drei Viertelgruppen.

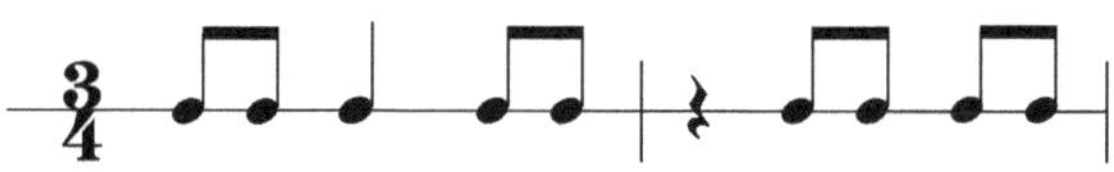

Wenn auf einem Taktschlag eine Pause oder eine punktierte Note steht, kann die Gruppierung der folgenden Noten nicht auf einen geraden Viertelschlag beginnen.

NOTENBILD

In der Musiknotation gibt es spezifische Regeln für die Ausrichtung des Notenhalses, die davon abhängen, ob die Note oberhalb oder unterhalb der dritten Linie (der Mittellinie) im Notensystem positioniert ist:

- **Noten unterhalb der Mittellinie:**

Der Notenhals wird rechts von der Note angebracht und zeigt nach oben.

- **Noten auf oder oberhalb der Mittellinie:**

Der Notenhals wird links von der Note angebracht und zeigt nach unten.

In beiden Fällen beginnen die Fähnchen, die am Ende des Notenhalses angebracht sind, an der Spitze des Halses und öffnen sich in Richtung des Notenkopfes.

Werden zwei Stimmen in einem System notiert, die rhythmisch voneinander abweichen, zeigt der Notenhals der Oberstimme nach oben, in der Unterstimme nach unten.

Diese Regelung hilft dabei, die Notation übersichtlich und konsistent zu halten.

ÜBUNG

RHYTHMISCHE GLEICHUNGEN

Welcher Notenwert ergibt sich? Die erste Antwort ist schon gegeben.

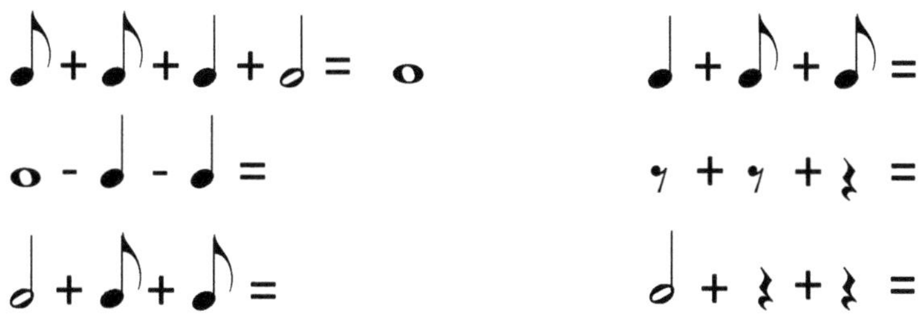

NOTIZEN UND EIGENE ÜBUNGEN

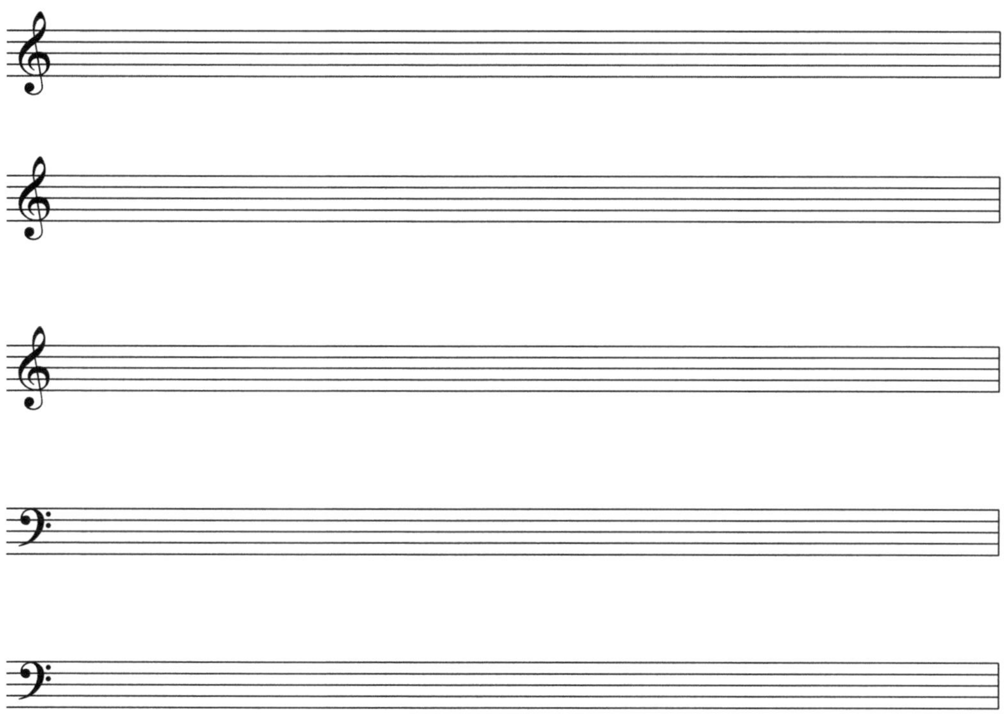

DER AUFTAKT

Der Auftakt beginnt vor der betonten Zählzeit 1.
Er ist ein unvollständiger Takt, steht am Anfang einer Melodie
und bildet zusammen mit dem letzten Takt einen vollständigen Takt.

Eingezählt wird:

Da der Auftakt keinen vollständigen Takt ergibt, wird er bei der Nummerierung der Takte nicht mitgezählt. Der erste vollständige Takt ist also Takt 1.

8 **HÖRBEISPIEL**
Gstanzl

GSTANZL

Alpenländisch Trad.

Ein sehr bekanntes Beispiel für einen Auftakt ist „Happy Birthday". Die zwei Silben des Wortes *hap-py* bilden den Auftakt. Die Silbe *birth* liegt bereits *im Takt 1 auf der ersten schweren Zählzeit.*

Der Auftakt kommt nicht nur am Anfang eines Stücks vor, manchmal spinnt er sich als rhythmisches Element von Takt zu Takt weiter, wird dann aber in den normalen rhythmischen Ablauf integriert und erfordert keinen (unvollständigen) Takt mehr.

RHYTHMISCHE ÜBUNGEN

Klatsche und zähle laut mit.
Schreibe die Zählzeit über die Noten und Pausen.

Das Metronom gibt das Tempo an.

Ein Metronom ist ein mechanisches oder elektronisches Gerät, das durch akustische Impulse in gleichmäßigen Zeitintervallen ein konstantes Tempo vorgibt.

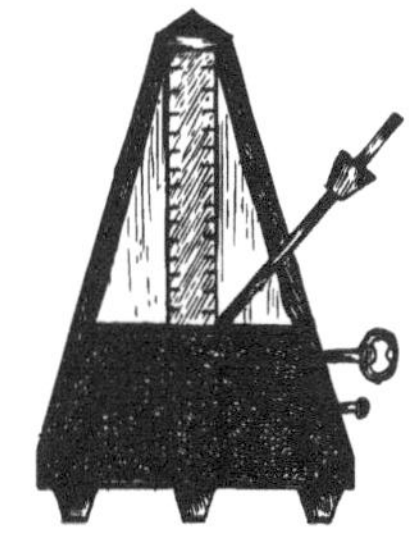

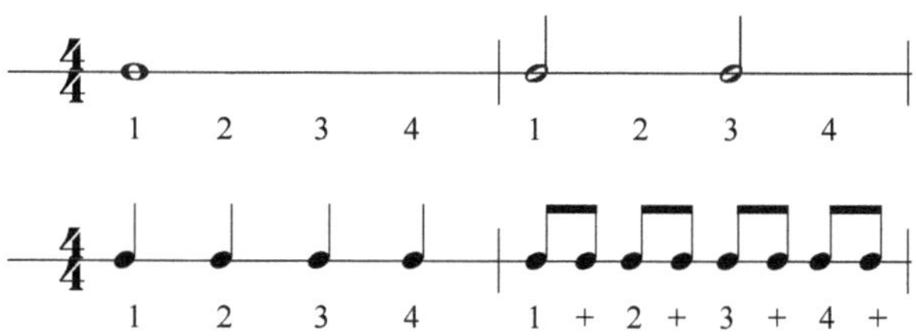

9 **HÖRBEISPIEL**
Eric Satie - „Gymnopedie No.1"

DER HALTEBOGEN

Der Haltebogen (Ligatur) verbindet zwei aufeinanderfolgende Noten ***gleicher Tonhöhe*** miteinender. Die zweite, an dem Haltebogen angehängte Note muss ***nicht*** mehr angeschlagen werden! Die erste Note klingt einfach weiter. Die Notenwerte beider Noten werden zusammengezählt.

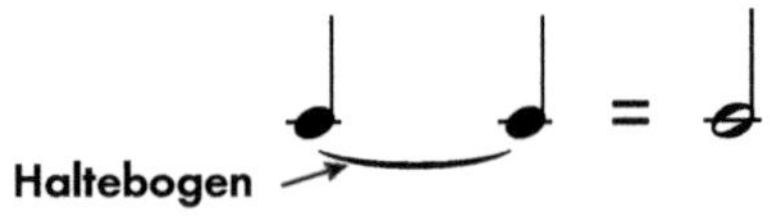

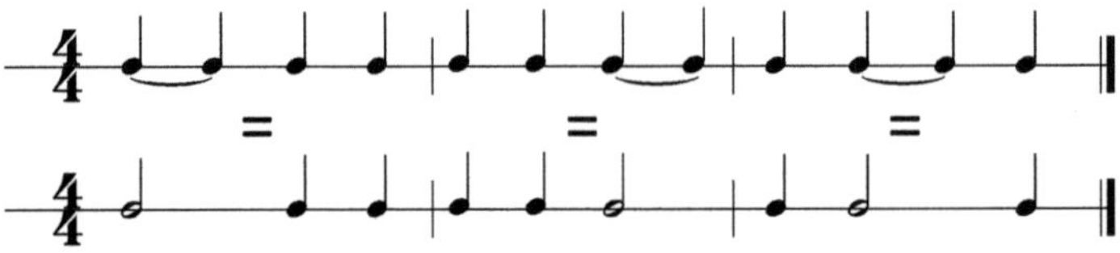

Der ***Haltebogen*** wird dazu verwendet, eine Note auch ***über einen Taktstrich hinweg*** klingen zu lassen.

Durch den Haltebogen lassen sich beliebige Notenwerte verbinden, die sich durch Punktierung nicht darstellen lassen

Der ***Haltebogen*** wird dazu verwendet, eine Note auch ***über einen Taktstrich hinweg*** klingen zu lassen.

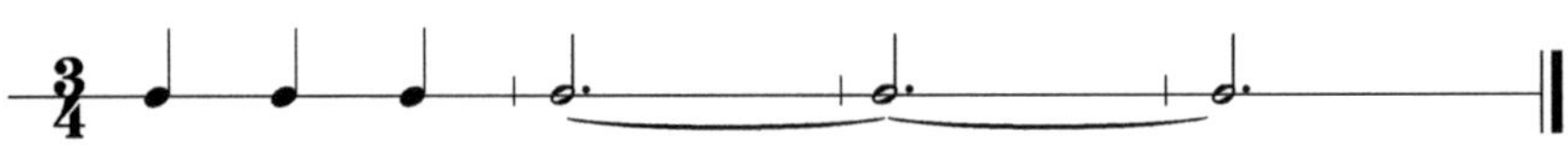

Rhythmisch komplexe Stellen lassen sich oft einfacher mit Haltebogen darstellen.
Statt einer punktierten Note kann z. B. auch ein Haltebogen notiert werden.

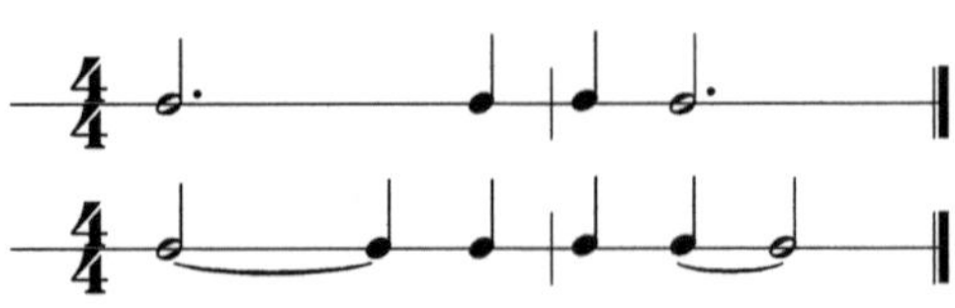

NOTIZEN UND EIGENE ÜBUNGEN

INSTRUMENTENKUNDE - DIE KLARINETTE

Die Klarinette ist das am weitesten verbreitete Holzblasinstrument mit einem einfachen Rohrblatt. Ihr enormer Tonumfang und der große Klangfarbenreichtum sorgten dafür, dass sie sich im Lauf der Geschichte in fast allen Musikrichtungen etablieren konnte. Sie findet in der Klassik genauso Verwendung wie im Jazz oder in vielen Volksmusikstilen und kommt in Ensembles jeder Größe, vom Duo über Kammermusikbesetzungen bis hin zum großen Orchester zum Einsatz, wo sie wie alle Blasinstrumente zu den Soloinstrumenten gezählt wird.

Die Klarinettenfamilie weist zahlreiche verschiedene Bauarten auf und reicht von der Kontrabassklarinette über verschiedene Modelle der mittleren Lagen bis hin zur Sopranino-Klarinette. Die meisten Klarinetten werden transponiert notiert, das heißt, der klingende Ton entspricht nicht dem notierten Ton (z. B. Klarinetten in B oder A. dementsprechend kommen je nach Instrument und Tonlage auch verschiedene Notenschlüssel zum Einsatz.

Die meisten namhaften Komponisten haben Werke geschrieben, in denen die Klarinette entweder solistisch brilliert oder in der Kammermusik bzw. im Orchester eine charakteristische Rolle übernimmt.

10

HÖRBEISPIEL
Wolfgang Amadeus Mozart - Klarinettenkonzert KV 622: II. Adagio

---

Einige bekannte Werke für Klarinette:

Kammermusik:
- Wolfgang Amadeus Mozart: Quintett für Klarinette und Streichquartett in A-Dur KV 581.

Klarinettenkonzert (mit Orchester):
- Wolfgang Amadeus Mozart: Konzert in A-Dur, KV 622
- Carl Maria von Weber: Das Klarinettenkonzert Nr. 1 in f-Moll, op. 73

Jazz:
- Vor allem Aufnahmen aus der Dixieland- und Swingra, z. B. Sidney Bechet oder Benny Goodman.

RHYTHMISCHE ÜBUNGEN – HALTEBOGEN

Wiederholung

Der Haltebogen (Ligatur) verbindet zwei aufeinanderfolgende Noten gleicher Tonhöhe miteinander. Die mithilfe des Haltebogens angehängte Note klingt weiter und muss ***nicht*** mehr angeschlagen werden. Die Notenwerte beider Noten werden zusammengezählt. Der ***Haltebogen*** wird u. a. dazu verwendet, eine Note ***über einen Taktstrich*** hinweg klingen zu lassen

Schreibe die Zählzeiten über die Noten und Pausen. Klatsche den Rhythmus und zähle laut mit!

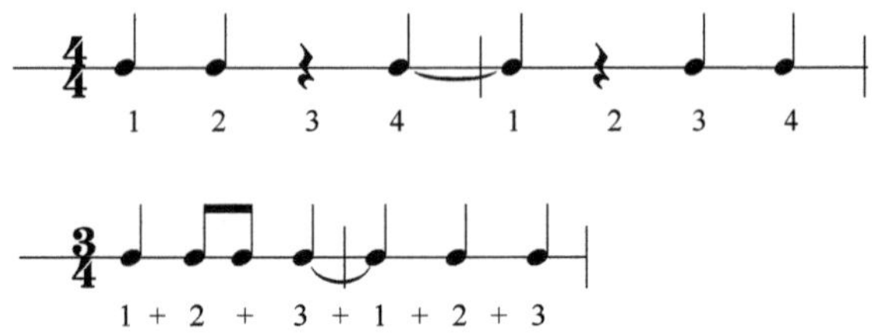

11 **HÖRBEISPIEL**
Rhythmische Übungen - Haltebogen

RHYTHMISCHE ÜBUNGEN – SECHZEHNTEL

Schreibe die Zählzeiten über die Noten und Pausen. Klatsche den Rhythmus und zähle laut mit!

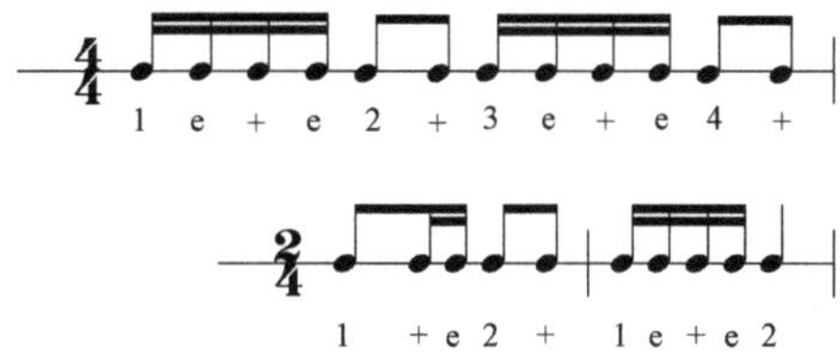

12 **HÖRBEISPIEL**
Rhythmische Übungen - Sechzehntel

Sechzehntelnote (𝅘𝅥𝅯) = 1/4 Schlag
Sechzehntelpause (𝄿) = 1/4 Schlag

TRIOLEN

Sollen drei gleich lange Töne innerhalb eines Viertels erklingen, wird eine *Triole* notiert.

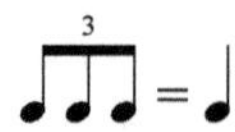

Triolen  = Achteltriole

---

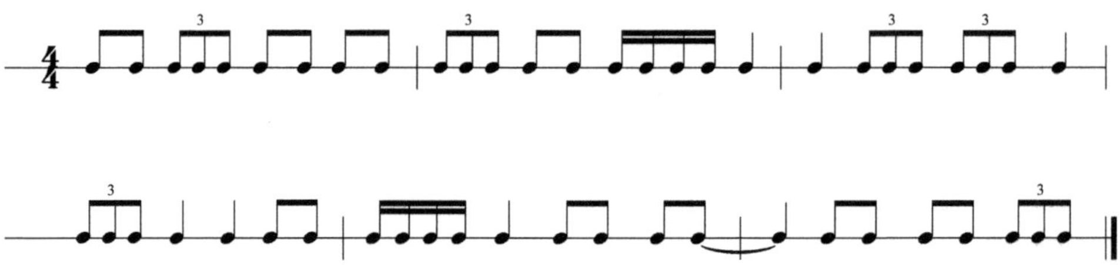

13 **HÖRBEISPIEL**
Triolen

SHUFFLE – RHYTHMUS

Ein Shuffle ist ein ternärer (dreigeteilter, auf Triolen aufgebauter) Rhythmus, der vor allem im Blues und Jazz Anwendung findet. Bei einem triolischen ***Swing-Feeling*** wird die zweite Achtelnote eines Paares so gespielt, als wäre sie die letzte Note einer Triole.

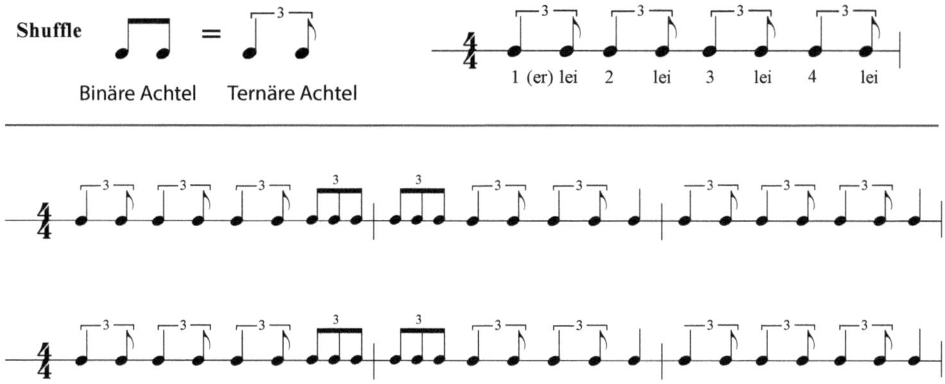

14 **HÖRBEISPIEL**
Shuffle - Rhythmus

INSTRUMENTENKUNDE - DIE HARFE

Wenn man die vielgestaltige Gruppe der Harfen mit ihrer Art der Tonerzeugung betrachtet (Saiten- bzw. Zupfinstrument), dann wird man feststellen, dass sie eine der ältesten Instrumentengattungen darstellt. Heute unterscheidet man vor allem zwischen Volksmusik- und Konzertharfen. Erstere sind meistens kleiner und leichter gebaut, haben allerdings Einschränkungen im Tonumfang und in der Kompatibilität für alle Tonarten. Große Konzertharfen hingegen sind stattliche Instrumente, auf denen mithilfe einer raffinierten Pedalsteuerung alle chromatischen Töne innerhalb eines großen Umfangs realisiert werden können.

Instrumente der Harfenfamilie finden in der Volksmusik genauso Verwendung wie in der Klassik und kommen sowohl solistisch, als auch in kammermusikalischen Besetzungen oder im Orchester zum Einsatz. Ihr charakteristischer, manchmal zarter, ein anderes Mal wieder kräftig rhythmischer Klang kann einerseits in der Kammermusik eine solide Basis liefern, andererseits aber auch für interessante Klangeffekte im Orchester sorgen. Die Harfe wird normalerweise, ähnlich wie das Klavier, in zwei Notensystemen notiert, wobei je nach Register sowohl der Bass- als auch der Violinschlüssel verwendet werden.

Die Harfe ist ein fester Bestandteil vieler Volksmusiken, u. a. in Lateinamerika (z. B. Paraguay), aber auch in Afrika (z. B. Senegal) und in Europa (als Keltenharfe und Tiroler Harfe) weit verbreitet.

15

HÖRBEISPIEL
Wolfgang Amadeus Mozart: Konzert für Flöte, Harfe und Orchester in C-Dur, KV 299/KV 297c

In der Klassik sind z. B. Folgende Harfenkonzerte (mit Orchester) bekannt:

- Wolfgang Amadeus Mozart: Konzert für Flöte, Harfe und Orchester in C-Dur, KV 299/KV 297c
- Louis Spohr: Concertante Nr. 1 für Violine, Harfe und Orchester G-Dur, WoO 13
- Alberto Evaristo Ginastera: Concerto für Harfe und Orchester, op. 25

SYNKOPEN

Synkopen sind rhythmische Verschiebungen. Normalerweise bekommen leichte Zählzeiten zwischen zwei Taktschlägen (das „und") durch sie eine Betonung, wobei der darauf folgende schwere Taktschlag übersprungen wird.

Schreibe die Zählzeiten über die Noten und Pausen. Klatsche den Rhythmus und zähle laut mit.

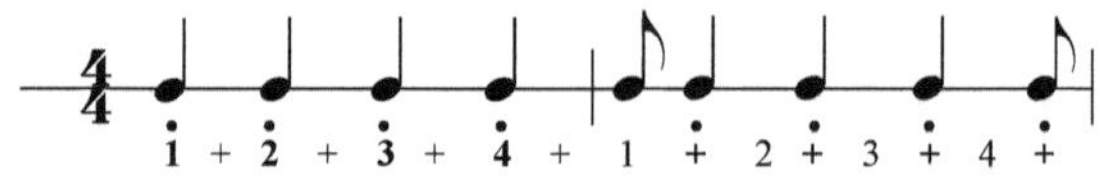

16 **HÖRBEISPIEL**
Synkopen

INTERVALLE

Intervalle sind die Abstände (Intervallum aus Latein = Zwischenraum) von zwei Tönen zueinander. Sie können nacheinander (sukzessiv) oder gleichzeitig miteinander (simultan) als Zweiklang erklingen.

Bei den Intervallnamen kann das -e auch gerne weggelassen werden: Prim, Sekund, Terz ...

ÜBUNG

INTERVALLE EINZEICHNEN

Zeichne die Intervalle ein und benenne die eingezeichneten Noten.

INTERVALLE HÖREN

Zeichne die Intervalle ein und benenne die eingezeichneten Noten.

Hier sind einige Beispiele von Liedanfängen als Eselsbrücken:

Prime	Star Wars - Darth Vader Theme
Sekunde	Alle meine Entchen
Terz	Donauwalzer / Alle Vöglein sind schon da
Quarte	O Tannenbaum
Quinte	Morgen kommt der Weihnachtsmann
Sexte	My Bonnie is over The Ocean
Septime	Take on me
Oktave	Somewhere over the Rainbow

17 **HÖRBEISPIEL**
Intervalle hören

Intervalle verwendet man auch für die einzelnen Töne innerhalb einer ***Tonleiter***, bezogen auf den Abstand zum Grundton. Der Grundton wird dabei mitgezählt. Von c aus gezählt ist c die Prime (1), d die Sekunde (2), e die Terz (3), f die Quarte (4) usw.

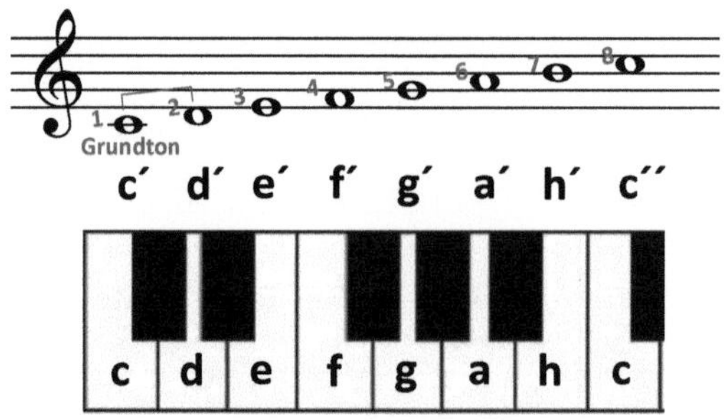

Simultane Intervalle.

TIPP: Zähle vom Grundton weg jede Linie bzw. Zwischenraum rauf zum gesuchten Intervall.

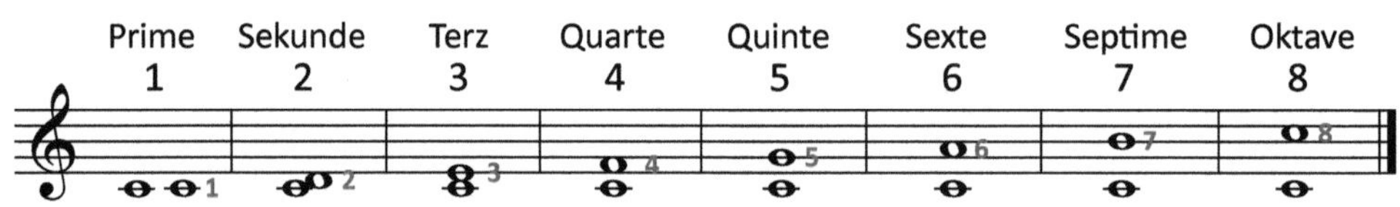

ÜBUNG

INTERVALLE SIMULTAN

Schreibe die Intervalle über die Notenzeile und die Notennamen darunter.

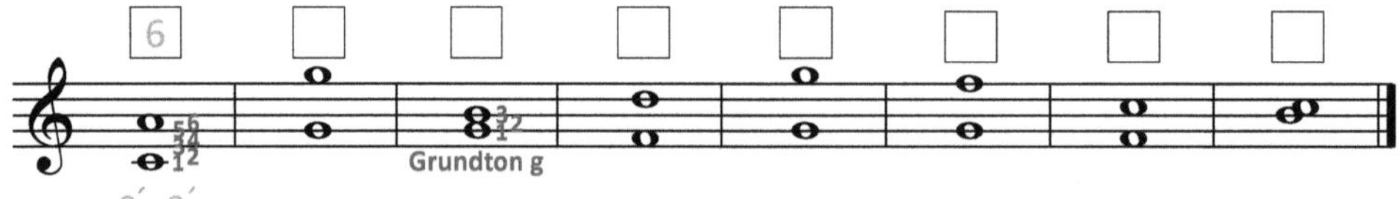

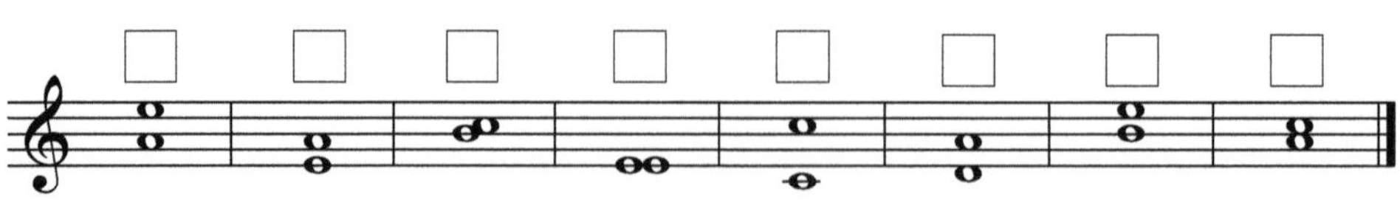

ÜBUNG

NOTEN UND INTERVALLE

Wie heißen die folgenden Noten?

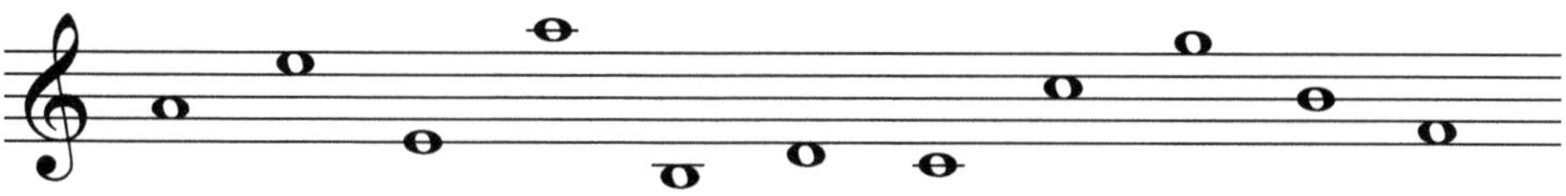

a´

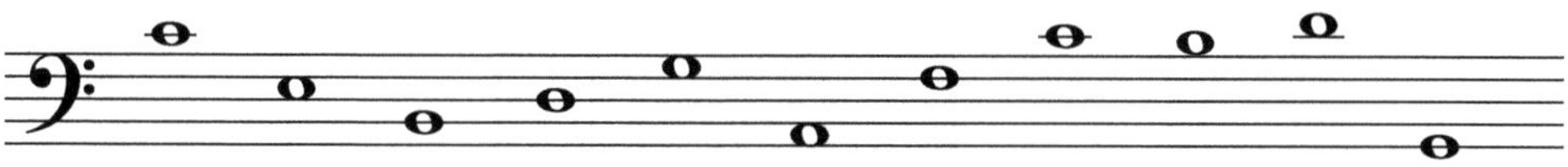

c´

Zeichne die Noten an der richtigen Stelle ein.

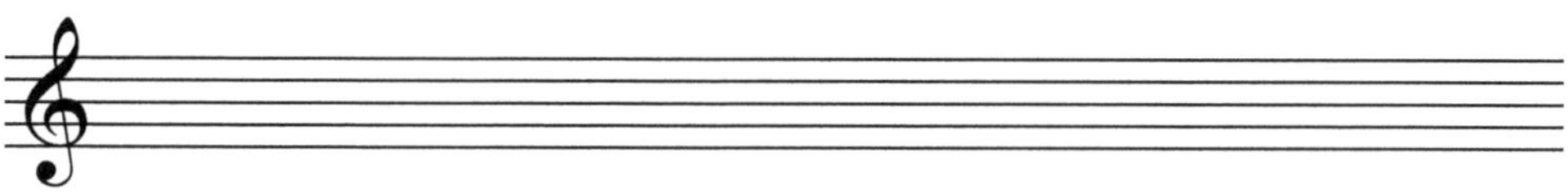

a´ d´´ h´ g´ e´ h f´ g´´ a´´ c´ d´

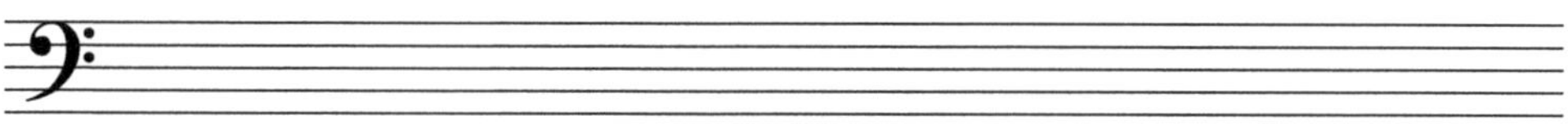

c A e G g e f h g f c´

Zeichne die richtigen Intervalle ein.

Terz Quarte Quinte Septime Sexte Sekunde Prime Oktave

Benenne die Noten und trage die Intervalle ein.

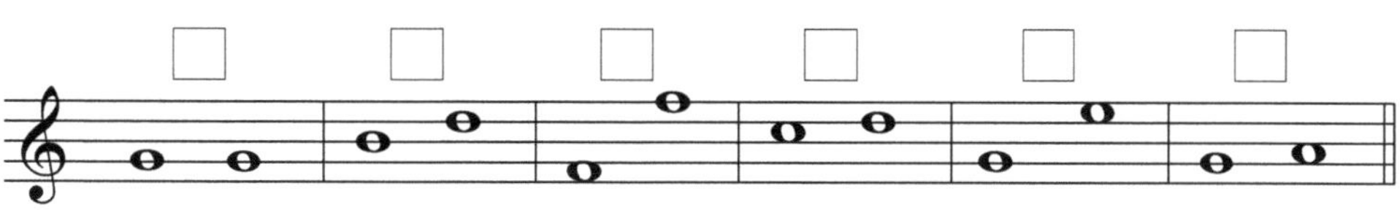

INSTRUMENTENKUNDE - DIE UKULELE

Die Ukulele erfreut sich größter Beliebtheit. Sie ist klein, handlich, verhältnismäßig günstig, hat nur vier Saiten und ist deshalb relativ einfach zu erlernen. Mit wenig Aufwand und kleinem Budget klingt es im Wohnzimmer schon ein wenig nach Urlaub auf Hawaii. Ein Vorgängerinstrument der Ukulele wurde von einem Portugiesen 1879 von Madeira nach Hawaii gebracht. Dort bekam sie den Namen „Ukulele", was im Hawaiianischen soviel wie „hüpfender Floh" bedeutet, passend zum Eindruck der sich schnell über das Griffbrett des Instrumentes bewegenden Finger.

Die Ukulele wird im Violinschlüssel notiert. Grifftabellen und Tabulaturen sind beim Erlernen des BegleitInstruments unverzichtbar.

BONUS

UKULELE GRIFFTABELLE

Große Bekanntheit erlangte das Instrument durch Hits wie:

- „Somewhere over the Rainbow" von Israel Kamakawiwoole
- Durch den Film „Manche mögen's heiß" mit Marylin Monroe.

Namenhafte Interpreten sind:
- Frank Sinatra, Nelly Furtado
- TV-Entertainer Stefan Raab

TONLEITERN

HALB- UND GANZTÖNE

Der Halbton ist in der abendländischen Musik der kleinstmögliche Abstand zwischen zwei Tönen (von Bund zu Bund auf der Gitarre oder eine Taste weiter am Klavier).

Zwei Halbtöne ergeben einen Ganzton (zwei Tasten weiter am Klavier).

Unsere ***C-Dur Tonleiter*** besteht aus acht Tönen, die einer definierten Abfolge von fünf Ganztonschritten und zwei Halbtonschritten folgen. Um sie auf dem Klavier zu spielen, benötigt man nur die weißen Tasten.

Die Stammtonreihe:

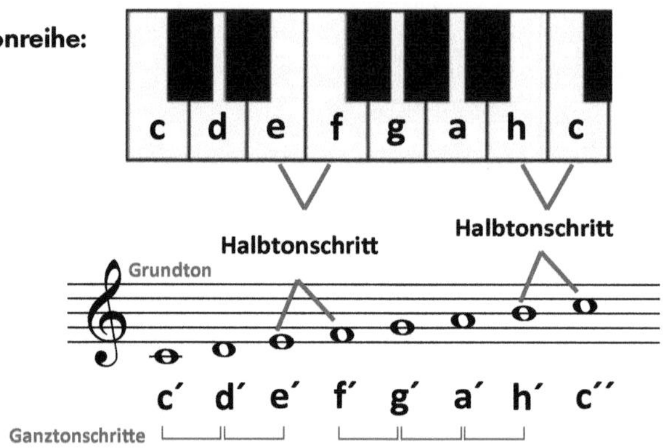

Die natürlichen Halbtonschritte liegen zwischen den Tönen e - f (3. und 4. Stufe) und h - c (7. und 8. Stufe). H wird als Leitton bezeichnet

ÜBUNG

SCHREIBE EINE C-DUR-TONLEITER

Zeichne die natürlichen Halbtonschritte ein.

HALB- UND GANZTÖNE AUF DER GITARRE

Auf der Gitarre gibt es keine schwarzen und weißen Tasten. Die sechs Saiten der Gitarre werden durch die Bünde in Halbtonschritte eingeteilt. Drückt man dieselbe Saite in einem Bund und danach im Bund daneben, erklingen zwei Töne im Abstand von einem Halbtonschritt, was zwei unmittelbar benachbarten Tasten auf dem Klavier entspricht. Überspringt man dabei einen Bund (also zwei Bünde weiter), so erhält man einen Ganztonschritt (auf dem Klavier überspringt man eine Taste).

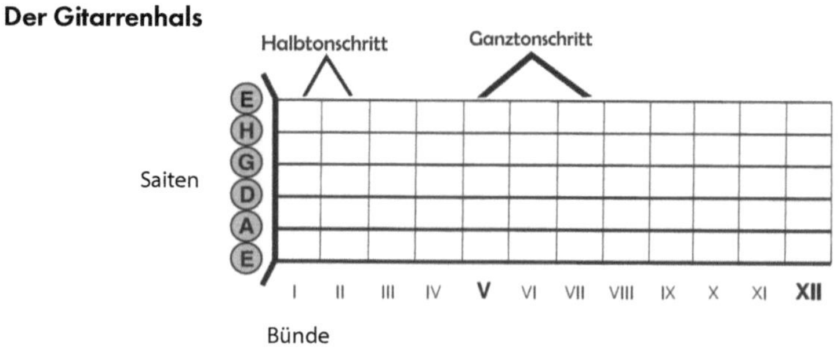

12 HALBTÖNE ERGEBEN EINE OKTAVE

Am XII. Bund wiederholt sich die Abfolge der Töne. Die 12 Tasten am Klavier und die 12 Bünde auf der Gitarre bilden also unsere 12 verschiedenen Tonhöhen innerhalb einer Oktave.

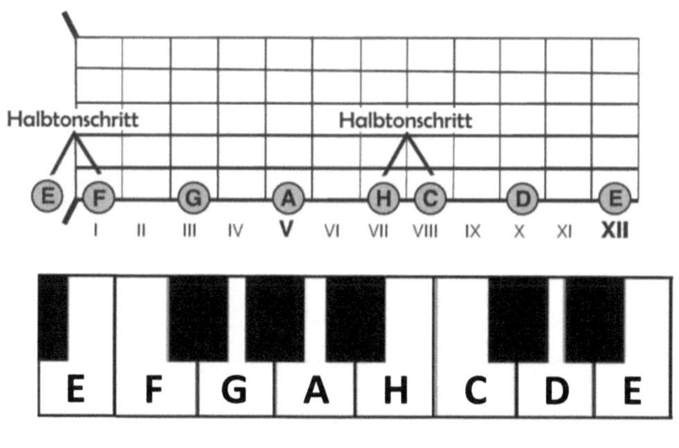

Als nächstes lernen wir unsere 12 Töne im Tonsystem kennen!

INSTRUMENTENKUNDE - DIE KIRCHENORGEL

Die Kirchenorgel ist zwar ein Tasteninstrument, wird aber gleichzeitig auch zu den Aerophonen gezählt, da sie die Töne mithilfe der sowohl aus Holz als auch Metall bestehe den Orgelpfeifen erzeugt. Sie blickt auf eine Jahrhunderte lange Geschichte zurück und hat sich im Laufe der Zeit zu einem universalen Instrument entwickelt, das mit seinem Reichtum an Klangfarben und beinahe orchestralen Ausdruck begeistert. Anfangs wurden Orgeln vor allem in liturgischen Zusammenhängen verwendet, fanden aber später auch Eingang in die weltliche Musik. Die meisten Orgeln unterschiedlicher Dimensionen sind auch heute noch in Kirchen zu finden, aber auch große Konzertsäle verfügen oft über ein fest installiertes Instrument.

Orgelmusik wird in zwei verbundenen Notensystemen mithilfe eines Bass- und eines Violinschlüssels notiert (ähnlich wie Klaviermusik). Oft kommt sogar noch ein drittes System zum Einsatz, um der umfangreichen Ausstattung mit Fußpedalen gerecht zu werden.

Die meisten bekannten Komponisten, von der Renaissance bis zur Moderne, haben bedeutende Werke für die Orgel geschrieben, entweder im Solo oder im Rahmen ihrer Messen, so z. B. Paul Hofhaimer, Johann Sebastian Bach, Georg Friedrich Händel, Antonio Soler, Anton Bruckner und Paul Hindemith.

18 **HÖRBEISPIEL**
J. S. Bach: Toccata und Fugue in D-Moll

Bekannte Werke für die Orgel:

- J. S. Bach: Passacaglia in C-Moll
- O. Messiaen: Méditations sur le mystère de la Sainte Trinité

VERSETZUNGSZEICHEN

Die Töne unserer Stammtonreihe können durch ein Versetzungszeichen verändert werden.

Das Kreuz ♯ erhöht die Note um einen Halbton.
Das B ♭ erniedrigt die Note um einen Halbton.

Die Stammtonreihe:

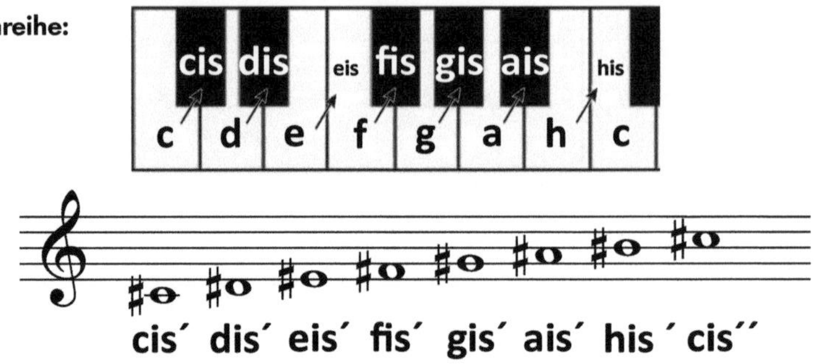

An den Notennamen wird die Silbe -is angehängt.

Das B:

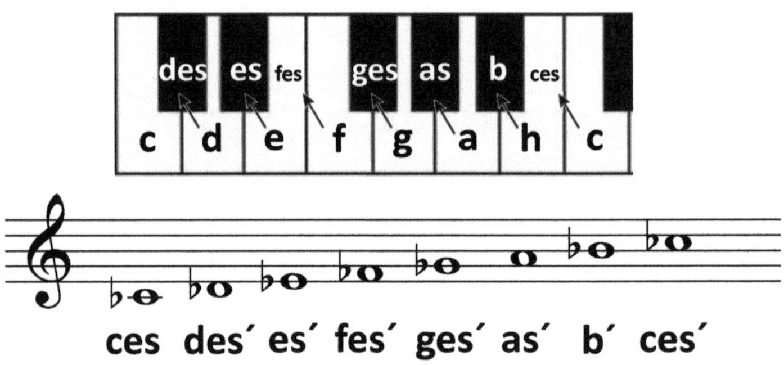

An den Notennamen wird die Silbe -es angehängt.
Das Versetzungszeichen gilt für einen Takt. Beispiel cis:

DAS AUFLÖSUNGSZEICHEN ♮

Es hebt das Versetzungszeichen innerhalb eines Taktes wieder auf.

ÜBUNG

TONABSTÄNDE

1. Handelt es sich bei den folgenden Tonabständen (Sekunden) um einen Ganzton GT oder Halbton HT?

2. Schreibe die richtigen Notennamen darunter.

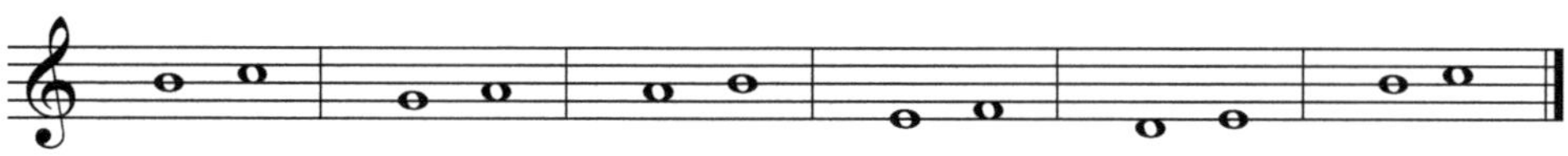

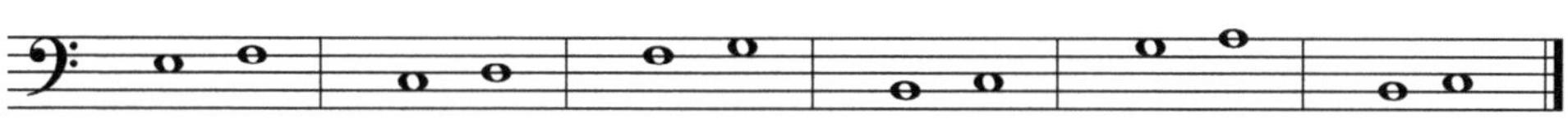

ÜBUNG

VERSETZUNGSZEICHEN

Wie heißen die folgenden Noten?

Zeichne folgende Noten ein.

dis´ b´ gis´ es´ h des´´ g´´ as´ c´ b´ cis´

INSTRUMENTENKUNDE - DIE QUERFLÖTE

Moderne Querflöten werden zwar in den meisten Fällen aus Metall hergestellt, zählen aber aufgrund der Art ihrer Tonerzeugung zu den Holzblasinstrumenten. Im Bezug auf Dynamik und Tongestaltung sind Querflöten etwas weniger flexibel als manche anderen Blasinstrumente, allerdings gibt es eine Menge verschiedener Ausführungen, um allen Ansprüchen gerecht zu werden. Das Spektrum reicht über viele Zwischenstufen von der Bassflöte über die Große Flöte bis hin zur Piccoloflöte.

Flöten im Allgemeinen, und im Speziellen auch die Querflöte, begleiten uns Menschen schon vom Beginn des musikalischen Schaffens und so ist es auch nicht überraschend, dass dieses Instrument in den meisten Stilrichtungen zu finden ist. Sowohl in der Volksmusik, in der Klassik, im Jazz und sogar in der Rockmusik kommt die Flöte zum Einsatz. Im Orchester liefert sie einerseits einen wichtigen Beitrag zum Gesamtklang, hat aber auch als Soloinstrument eine bedeutende Rolle. Notiert wird die Flöte in den allermeisten Fällen im Violinschlüssel.

19 **HÖRBEISPIEL**
Jethro Tull und J.S. Bach, Bourree

Für die Querflöte, welche auch Traversflöte genannt wird, haben die meisten großen Komponisten sowohl Kammermusik als auch Konzerte (mit Orchester) geschrieben. Bekannte Beispiele sind:

- Antonio Vivaldi: 6 Concerti op. 10 für Traversflöte
- Wolfgang Amadeus Mozart: Flötenkonzert in G-Dur, KV 313
- Jaques Ibert: Entr'acte für Flöte und Gitarre

- In der Rockmusik ist die Flöte unter anderem von dem Flötisten und Sänger Ian Anderson der britischen Band Jethro Tull eingesetzt worden.

DIE CHROMATISCHE SKALA

Die Tonfolge, die aus allen 12 Halbtönen unseres Tonsystems innerhalb einer Oktave besteht, nennt man chromatische Skala.

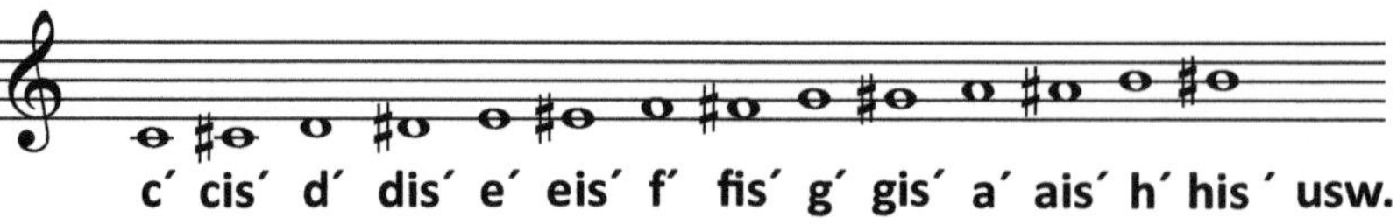

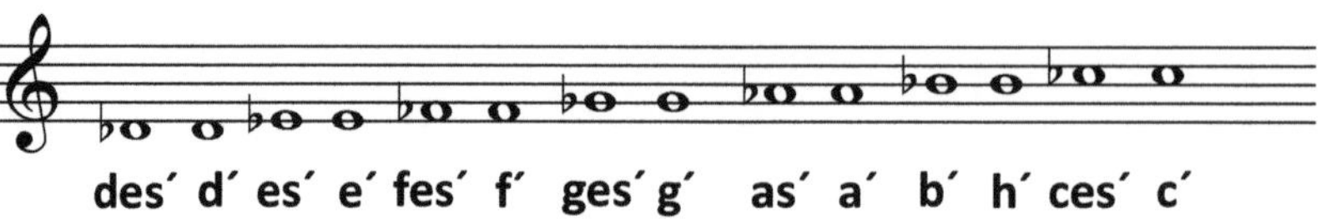

DIE ENHARMONISCHE VERWECHSLUNG

Sie klingt kompliziert, ist aber ganz einfach: Durch die wohltemperierte Stimmung ergeben sich für den selben Ton verschiedene Tonnamen. Das fis klingt also gleich wie das ges und befindet sich am Klavier auf derselben Taste (bei der Gitarre im selber Bund).

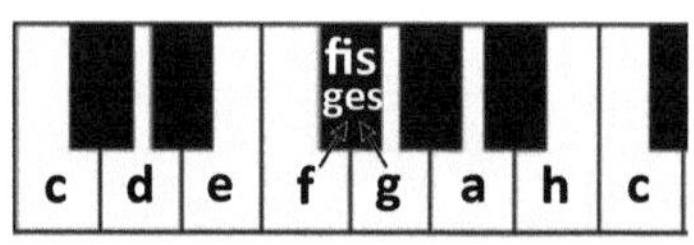

Doppelte Versetzungszeichen kommen selten vor aber finden manchmal ihre Verwendung zum besseren Verständnis der musikalischen Zusammenhänge:

Das Doppelkreuz erhöht die Note um zwei Halbtöne.
An den Notennamen wird die Silbe „-isis" angehängt.
Das Doppel-B erniedrigt die Note um zwei Halbtöne.

ÜBUNG

CHROMATISCHE SKALA

Zeichne die Chromatische Skala von c´aufwärts ein.

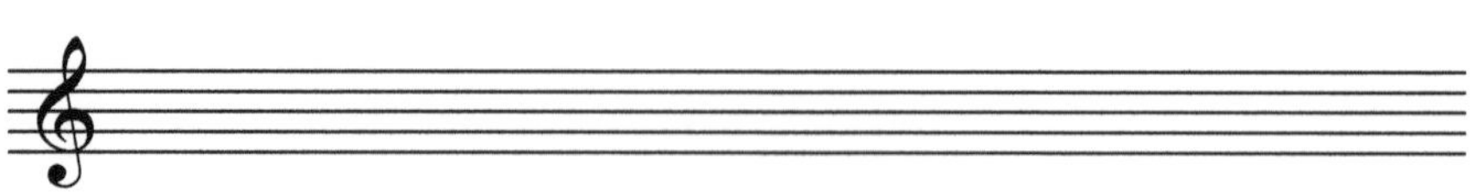

NOTIZEN UND EIGENE ÜBUNGEN

DER KOMPONIST

Ein Komponist (lateinisch: „componere"), auch Tonsetzer, Ton-Dichter oder Tonschöpfer genannt, ***erschafft musikalische Werke*** (Kompositionen) und ***besitzt an diesen ein geistiges Eigentum***. Viele Komponisten sind und waren auch hervorragende Interpreten, wie z. B. Wolfgang Amadeus Mozart, Frederic Chopin und Franz Liszt.

20 **HÖRBEISPIEL**
Komponieren in Echtzeit.

DAS VORZEICHEN

Die *C-Dur-Tonleiter* hat ***kein Vorzeichen***!

Jede Dur-Tonleiter besteht aus ***zwei Halbtonschritten*** und **fünf Ganztonschritten**.

Die zwei natürlichen Halbtonschritte liegen zwischen dem dritten und vierten Ton (e und f in C-Dur) sowie zwischen dem siebten und achten Ton der Dur-Tonleiter (h und c in C-Dur).

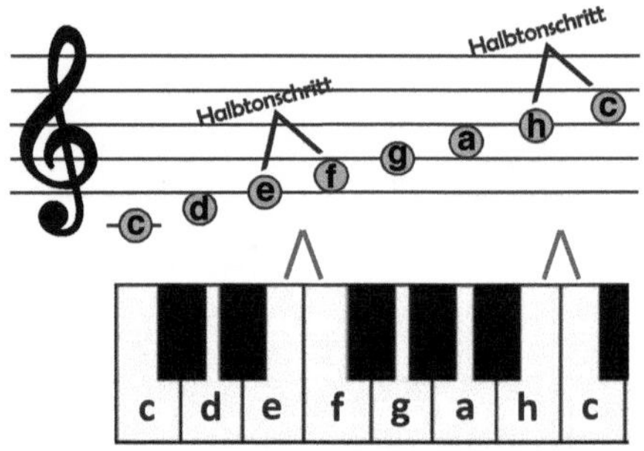

***natürliche Halbtonschritte auf der Klaviertastatur**

DIE G-DUR-TONLEITER MIT EINEM ♯ VORZEICHEN

Spielen wir die Dur-Tonleiter ausgehend vom ***Ton g***, müssen die ***zwei Halbtonschritte*** wieder zwischen dem dritten und vierten Ton sowie zwischen dem siebenten und achten Ton liegen.

Das f wird also durch das ***Kreuz*** um einen Halbton erhöht (fis).

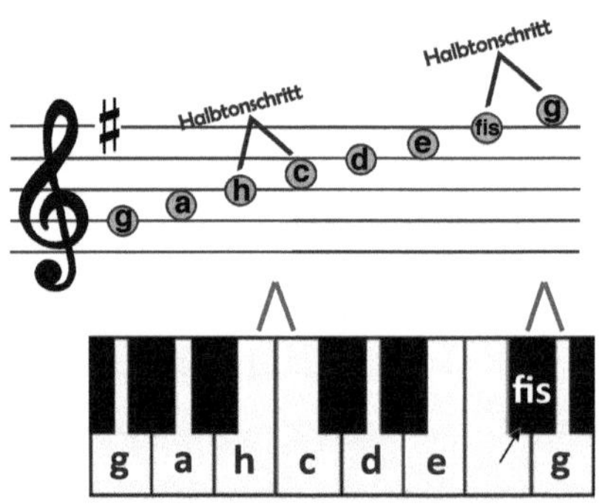

Steht das ***Kreuz*** am Anfang eines Stücks, zwischen dem Notenschlüssel und der Taktangabe, wird es ***Vorzeichen*** genannt. Das V orzeichen gilt ***für das ganze Stück*** und erhöht alle Noten mit demselben Namen. Die G-Dur-Tonleiter hat ein Kreuz (fis).

! **<u>Merke:</u> Wir können am Vorzeichen erkennen, in welcher *Tonart* das Stück steht!**

ÜBUNG

TONLEITERN

1. Zeichne die Tonleiter und das richtige Vorzeichen ein.
2. Schreibe die Noten darunter.

C-Dur-Tonleiter

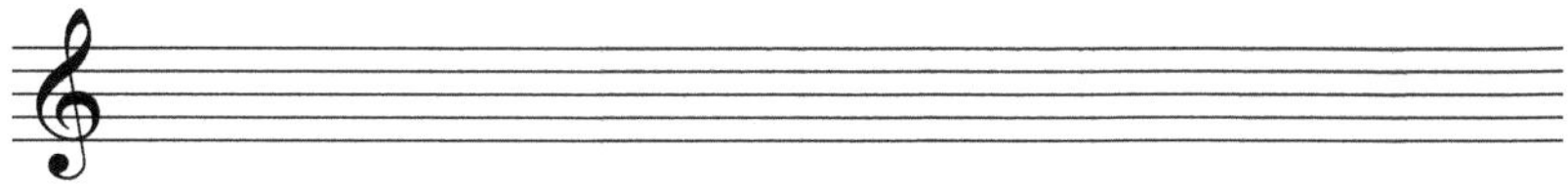

G-Dur-Tonleiter

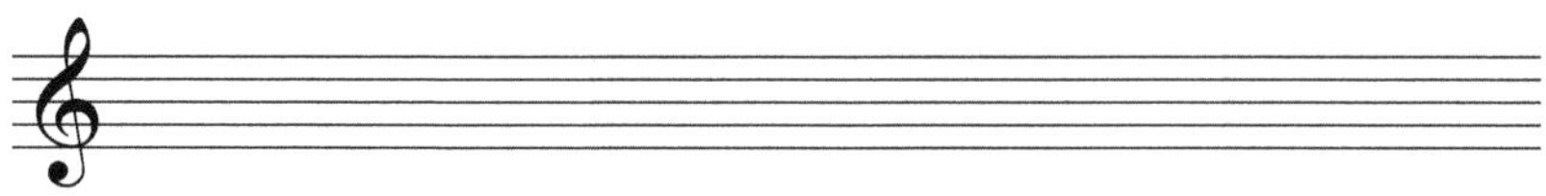

Zeichne die Halbtonschritte und das richtige Vorzeichen ein.

G-Dur-Tonleiter

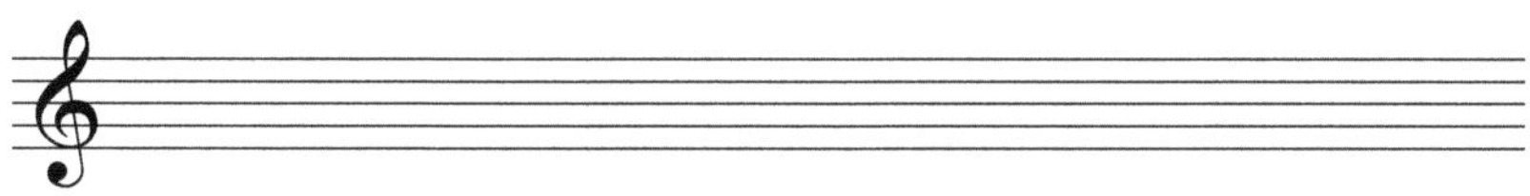

Wie heißen die folgenden Noten?

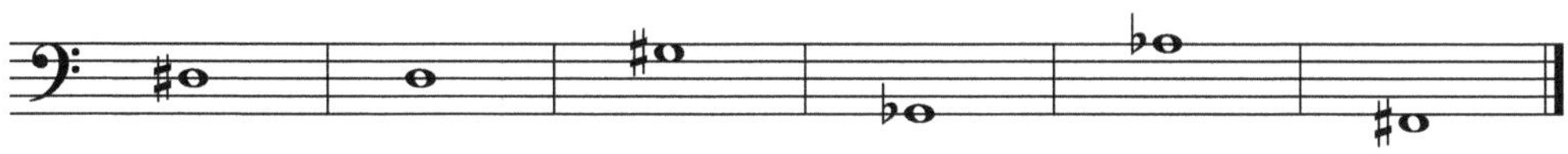

INSTRUMENTENKUNDE - DIE TROMPETE

Die Trompete ist eines der häufigsten Blechblasinstrumente mit einem Kesselmundstück. Die unterschiedlichen Töne werden mithilfe der Lippenspannung bzw. der Lippenvibration im Zusammenwirken mit der Luftsäule in dem Metallrohr erzeugt. Zur einfacheren Handhabung und um alle Töne über den gesamten Tonumfang abzudecken, besitzen moderne Trompeten Ventile, die es ermöglichen, die Rohrlänge zu variieren. Historische Instrumente, z. B. Barocktrompeten, weisen diese Möglichkeit noch nicht auf. Als Notenschlüssel kommt der Violinschlüssel zum Einsatz, wobei beachtet werden muss, dass Trompeten meistens transponiert notiert werden, also abhängig von ihrer Grundstimmung (z. B. Trompeten in B, C oder Es).

Trompeten sind seit langer Zeit im Gebrauch und spielen eine wichtige Rolle in der Musikgeschichte. Dementsprechend finden sie in Orchestern genauso Verwendung wie in Bläserensembles, in der Kammermusik und als Soloinstrument. Als beinahe unverzichtbares Instrument konnten sie sich vor allem in der Klassik, im Jazz und in der Pop- und Volksmusik durchsetzen.

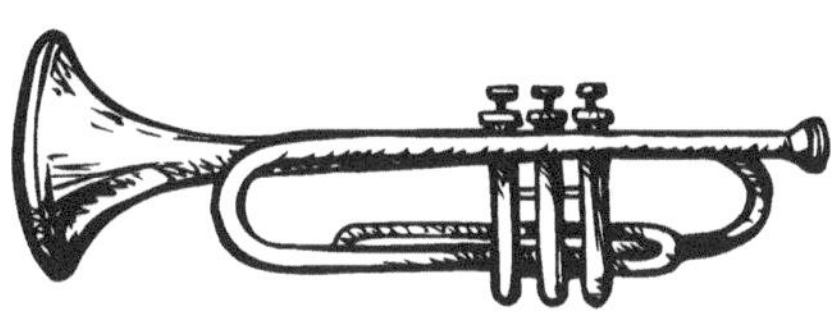

21 HÖRBEISPIEL
„Cool Jazz" - Ende der 1940er Jahre in New York entstanden.

Bekannte Werke für die Trompete:

- Prominent vertreten ist die Barocktrompete z. B. im 2. Brandenburgischen Konzert von J.S. Bach.
- Solokonzerte gibt es u. a. von Josef Haydn oder Johann Nepomuk Hummel.
- Im Jazz spielte die Trompete von den Anfängen bis heute durchgehend eine wichtige Rolle.
- Bekannte Trompeter sind z. B. Louis Armstrong oder Miles Davis.

VORTRAGSBEZEICHNUNGEN

DYNAMIK

Um die Musik interessanter zu gestalten, nutzen wir neben Tempoänderungen auch Änderungen in der Dynamik. Ein weiteres Mittel, um den musikalischen Intentionen des Komponisten gerecht zu werden, sind Änderungen in der Artikulation.

Bezeichnungen für die Angabe der Lautstärke:

Zeichen	Bezeichnung	Bedeutung
ppp	**pianopianissimo**	äußerst leise
pp	**pianissimo**	sehr leise
p	**piano**	leise
mp	**mezzopiano**	mittelleise, mäßig leise
mf	**mezzoforte**	mittellaut, mäßig laut
f	**forte**	laut
ff	**fortissimo**	sehr laut
fff	**fortefortissimo**	äußerst laut
fp	**fortepiano**	laut und sofort leise
sf	**sforzato**	stark betont, stark hervorgehoben
crescendo (cresc.)	<	lauter werdend
decrescendo (decresc.)	>	leiser werdend
diminuendo (dim.)		leiser werdend, abnehmend

ARTIKULATIONSZEICHEN

Angaben zur Tonerzeugung

Beispiel	Bezeichnung	Bedeutung
	**legato**	gebunden, miteinander verbunden
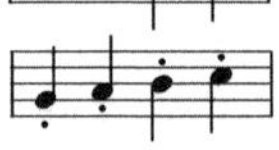	**staccato**	kurz, voneinander getrennt
	**tenuto**	breit, gehalten
	**marcato**	betont, hervorgehoben
	**Zäsur**	Atemzeichen, kurzes „Luftholen“

22

HÖRBEISPIEL

Maurice Ravel - „Bolero“. Das wohl bekannteste Stück mit permanent ansteigender Lautstärke (crescendo).

NOTEN LESEN – PARTITURKUNDE

Part turen sind gedruckte Notenausgaben eines Musikstücks. Je nach Anzahl und Art der beteiligten Instrumente variiert die Partitur in ihrer Gestalt.

Die einfachsten ParTlturen sind jene, die sich nur auf ein einziges Instrument, wie beispielsweise ein Blas- oder Streichinstrument, oder auf eine Gesangsstimme beziehen.

Am Anfang steht der Titel des Stücks, rechts über den Noten, jedoch unterhalb des Titels, findet sich der Name des Komponisten. Über dem ersten Takt befindet sich die Vortragsangabe. Vor der ersten Zeile ist der Name des Instruments vermerkt, welches das Musikstück spielt. Über der zweiten und den darauffolgenden Notenzeilen wird die jeweils aktuelle Taktzahl vermerkt.

ÜBUNG

DYNAMIK UND ARTIKULATION

Welche Lautstärkenbezeichnungen findest du in dem Ausschnitt von Stille Nacht?

____

Welche Lautstärkenänderungen findest du in dem Ausschnitt?

____

Welche Artikulationszeichen findest du in dem Ausschnitt?

____

INSTRUMENTENKUNDE - DIE ZITHER

Zither ist ein Überbegriff für eine sehr vielgestaltige Instrumentenfamilie, deren Gemeinsamkeit darin besteht, dass eine oder mehrere Saiten über einen Resonanzkörper gespannt werden. Somit zählt sie zu den Saiteninstrumenten, genaugenommen zu den Zupfinstrumenten. Es ist naheliegend, dass ein Instrument dieser Bauform beinahe auf der ganzen Welt gefunden werden kann, allerdings ist ihre heute bekannteste Spielart die alpenländische bzw. die darauf basierende Konzertzither. Notiert wird die Zither, ähnlich wie das Piano, in zwei Notensystemen, wobei das Untere für die Begleitung im Bassschlüssel verwendet wird, während das Obere die Melodie im Violinschlüssel zeigt.

Das Repertoire der Zither bewegt sich zu einem großen Teil im Bereich der Volksmusik, wo sie sowohl solistisch als auch im Ensemble oder zur Gesangsbegleitung zum Einsatz kommt. Allerdings ist sie ein sehr vielseitiges Instrument, auf dem sich Musik aus beinahe allen Epochen und Stilistiken verwirklichen lässt. Heute gibt es zahlreiche Zitherspieler, die Transkriptionen klassischer Werke auf ihr verwirklichen oder auch im Popbereich aktiv sind. Gerade in der Moderne haben verschiedene namhafte Komponisten die speziellen Möglichkeiten der Zither für sich entdeckt und einige Originalkompositionen dafür geschrieben, z. B. Mauricio Kagel oder Georg Friedrich Haas. Einen Namen machte sich im Bereich der Neuen Volksmusik und der Rock- bzw. Popmusik, wie der „Zither Manä" (Manfred Zick), der auch vor elektronischen Effekten nicht zurückschreckt.

23

HÖRBEISPIEL
Norbert Wallner –
„Weil's nacha Zeit is"

TEMPOBEZEICHNUNGEN

Übersicht der wichtigsten, aus dem Italienischen übernommenen, Tempobezeichnungen. Heute wird das Tempo meist mittels Metronomzahl angegeben z.B.: = **60 bpm (beats per minute)**

Largo	breit, langsam	40-50 bpm
Grave	schwer	40-50 bpm
Lento	langsam	50-60 bpm
Adagio	langsam, ruhig	50-60 bpm
Andante	gehend, schreitend	60-80 bpm
Andantino	leichter akzentuiert als Andante	70-80 bpm
Moderato	mäßig (bewegt)	90-100 bpm
Allegretto	etwas langsamer als Allegro	100-120 bpm
Allegro	schnell, munter, fröhlich	120-140 bpm
Vivace, vivo	lebhaft, lebendig	150-180 bpm
Presto	sehr schnell, geschwind	170-200 bpm
Prestissimo	äußerst schnell	>200 bpm

TEMPOÄNDERUNG

Bezeichnungen, deren Angaben das Tempo ändern.

Das Tempo steigert sich bei:

Bezeichnung	Bedeutung
accelerando (accel.)	schneller werdend
Stringendo (string.)	drängend
piu mosso	bewegter
piu vivo	lebhafter

Das Tempo verlangsamt sich bei:

Bezeichnung	Bedeutung
ritardando (rit.)	langsamer werdend
rallentando (rall.)	langsamer werdend
ritenuto	plötzlich langsamer
meno mosso	weniger bewegt

Das Tempo betreffend:

Bezeichnung	Bedeutung
rubato	im Tempo schwankend
senza tempo	frei im Tempo
poco a poco	nach und nach
subito ...	plötzlich

ÜBUNG

TEMPOBEZEICHNUNGEN

Was bedeutet bpm?

____

Tempobezeichnung	Bedeutung	bpm
Presto		
Andante		
Largo		
Allegro		
Grave		
Adagio		
Moderato		
Vivace, vivo		

Tempobezeichnung	Bedeutung
ritardando (rit.)	
accelerando (accel.)	
rubato	
poco a poco	
piu mosso	
meno mosso	

Notizen

NOTEN LESEN – PARTITURKUNDE

Eine Partitur kann zwei Notensysteme enthalten, die entweder gleich oder unterschiedlich sind (Duet, Duo). Für beide gelten dieselben Notationsregeln. Um zu verdeutlichen, dass zwei Notensysteme zusammengehören, werden sie am Anfang jeder Zeile durch eine Akkolade gekennzeichnet, was visuell hervorhebt, dass die Musik in diesen Systemen zusammen gespielt oder als zusammengehörig betrachtet wird.

Das Klavier benötigt zwei Notensysteme. Dies ist oft schon aus Platzgründen nötig, da auf dem Klavier viele Noten gleichzeitig gespielt werden können. Ein weiterer Grund ist der enorme Tonumfang des Klaviers, der in einem einzigen System kaum darstellbar wäre. Da es sich aber um ein einziges Instrument handelt, das von nur einem Spieler gespielt wird, werden die Taktstriche zwischen den Notensystemen durchgezogen. Die zusammengehörigen Notensysteme bezeichnet man als „gruppiert" und die Klammer davor heißt ***Gruppenklammer***.

NOTIZEN UND EIGENE ÜBUNGEN

INSTRUMENTENKUNDE - DIE OBOE

Die Oboe ist ein Holzblasinstrument mit einem Doppelrohrblatt, das aufgrund seines weittragenden und sehr expressiven Tons gerne für Solopassagen in Orchestern einge- setzt wird und auch im Bläsersatz eines größeren Klangkörpers eine tragende Rolle spielt. Es ist aufgrund seines reinen Klangs das Instrument, welches im Orchester den Stimmton a vorgibt. Da die Oboe nur wenig Luft zur Tonerzeugung benötigt, kann sie problemlos auch lange ausdrucksstarke Melodielinien ohne Pause verwirklichen.

Aus der Oboenfamilie sind nur wenige weitere Varianten bekannt, die ebenfalls regelmäßig verwendet werden. Das Englischhorn und die Oboe d'amore sind beides Instrumente mit einem etwas tieferen und oft auch wärmeren Klang als die Oboe. Notiert wird die Oboe immer im Violinschlüssel und nur die beiden letztgenannten Formen sind transponierend.

24

HÖRBEISPIEL
Konzert für Oboe und Orchester in C-Dur, KV 314

Die Oboe ist ein fester Bestandteil der meisten Orchester und die wenigsten Komponisten verzichten auf sie. Daneben gibt es auch einige Kammermusik- und Oboenkonzerte von bekannten Komponisten. Einige Beispiele sind:

- Wolfgang Amadeus Mozart: Konzert für Oboe und Orchester in C-Dur, KV 314
- Bohuslav Martinů: Konzert für Oboe und kleines Orchester
- Ein bekanntes Beispiel für den Einsatz des Englischhorns findet sich im zweiten Satz des Concierto de Aranjuez von Joaqun Rodrigo.

QUINTENZIRKEL

Der *Quintenzirkel* ist ein viel verwendetes Hilfsmittel, um die Tonleitern und deren Verwandschaftsgrad zu veranschaulichen. Er ähnelt dem Zifferblatt einer Uhr, wobei ***außen Dur-Tonleitern*** und ***innen Moll-Tonleitern*** zu finden sind. Tonleitern, deren Grundtöne im *Quintabstand* stehen, sind eng verwandt, z. B. C-Dur und G-Dur. Tonleitern sind ***„parallel"***, wenn sie gleiche V orzeichen haben, z. B. C-Dur und a-Moll.

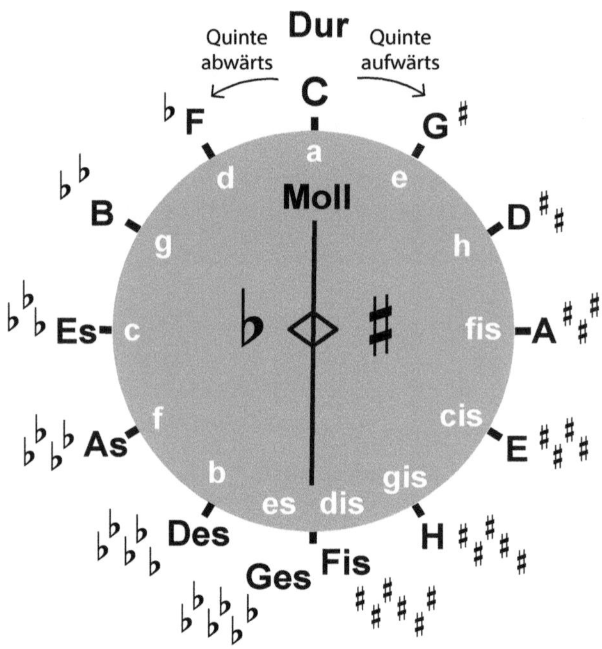

♯ **Geh Du Alter Esel Hol Fisch!**

♭ **Frische Brötchen Essen Asse Des Gesangs**

1b (b)	1# (fis)
2b (+es)	2# (+cis)
3b (+as)	3# (+gis)
4b (+des)	4# (+dis)
5b (+ges)	5# (+ais)
6b (+ces)	6# (+eis)

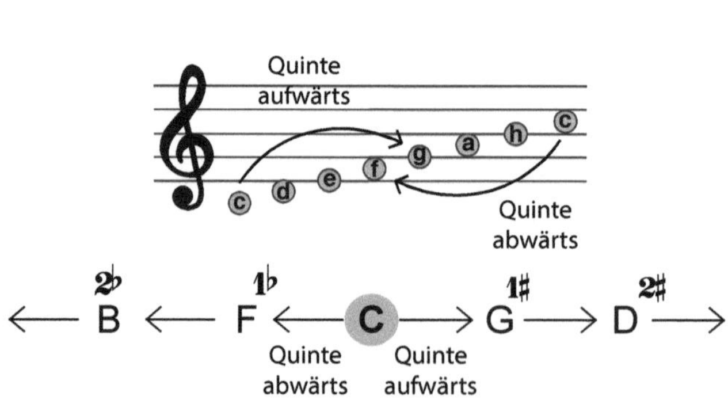

MOLL-TONLEITER

Es gibt drei verschiedene Arten von Moll-Tonleitern: äolische (natürliche), harmonische und melodische. Bei der harmonischen und der melodischen Moll-Tonleiter handelt es sich allerdings nur um Ableitungen von der natürlichen Moll-Tonleiter, die in diesem Zusammenhang keine große Rolle spielen. Wie kommen wir von der Dur-Tonleiter zur parallelen Moll-Tonleiter?

Schritt 1: Wir schreiben die C-Dur-Tonleiter mit ihren Halbtonschritten auf.

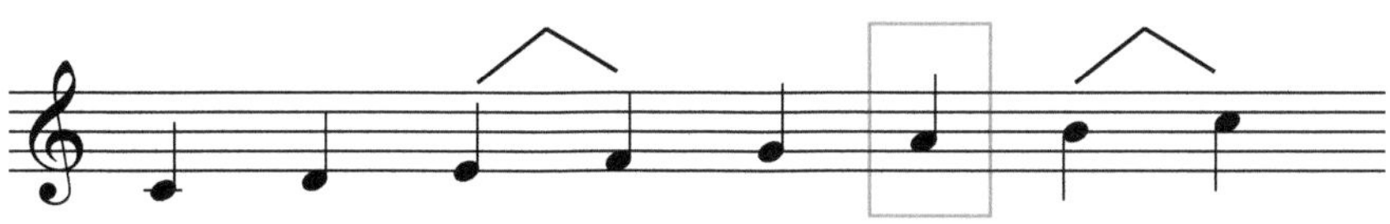

Schritt 2: Auf der 6. Tonstufe der Dur-Tonleiter befindet sich der Grundton der parallelen Moll-Tonleiter. Die parallele Moll-Tonart von C-Dur ist also A-Moll.
Es gelten die gleichen Vorzeichen wie bei der Dur-Tonart.

Alle natürlichen Moll-Tonleitern sind nach diesem Muster (Halbtonschritt zwischen der 2. und 3. Stufe und zwischen der 5. und 6. Stufe) aufgebaut!

ÜBUNG

MOLL-TONLEITER

Zeichne die natürliche E-Moll-Tonleiter mit ihren Halbtonschriften ein.
Achtung: E-Moll hat wie die parallele Tonart G-Dur ein Fis als Vorzeichen!

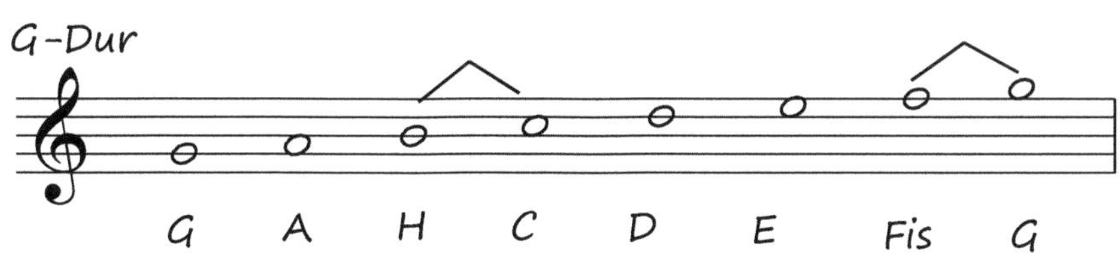

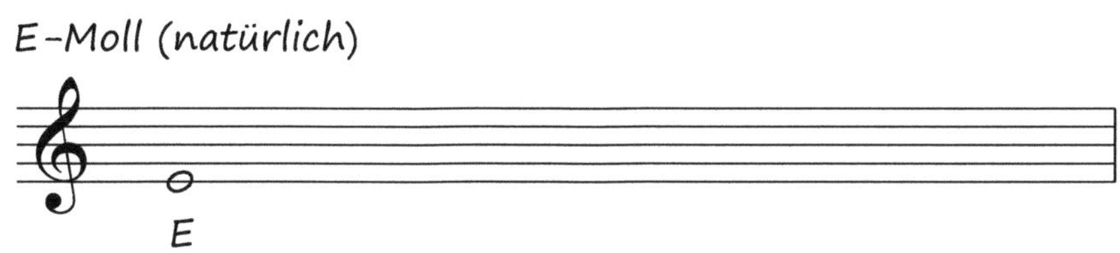

INSTRUMENTENKUNDE - DAS SAXOPHON

Das Saxophon wurde um das Jahr 1840 herum von dem belgischen Instrumentenbauer Adolphe Sax entwickelt und ist daher ein relativ junges Instrument. Saxophone werden zwar aus Metall hergestellt, ihr Mundstück ähnelt allerdings dem der Klarinette und verfügt über ein einfaches Rohrblatt, weshalb man sie zu den Holzblasinstrumenten zählt. Sein Klang bewegt sich in einem Spektrum zwischen der runden Wärme einer Klarinette und dem etwas näselnden Klang einer Oboe. Die Konstruktion aus Messing fügt ihm noch eine gewisse metallische Brillanz hinzu. Um einen möglichst großen Tonumfang abdecken zu können, wird das Saxophon in verschiedenen Varianten und Stimmlagen gebaut. Die Spielarten reichen vom großen Kontrabasssaxophon über das Tenor- und das Altsaxophon, bis hin zum kleinen Sopraninosaxophon. In der Notation findet immer der Violinschlüssel Verwendung, wenngleich alle Saxophone transponieren, d. h. der tatsächliche Klang weicht immer in einem definierten Intervall von den geschriebenen Tönen ab.

Aus der Oboenfamilie sind nur wenige weitere Varianten bekannt, die ebenfalls regelmäßig verwendet werden. Das Englischhorn und die Oboe d'amore sind beides Instrumente mit einem etwas tieferen und oft auch wärmeren Klang als die Oboe. Notiert wird die Oboe immer im Violinschlüssel und nur die beiden letztgenannten Formen sind transponierend.

Saxophone waren in den Jazz-Bigbands von Glenn Miller und Duke Ellington stark vertreten und als brillante Jazz-Saxophonisten sind u. a. Charlie Parker und Coleman Hawkins in die Geschichte eingegangen. In der Klassik hat das Saxophon in Kompositionen von Georges Bizet, George Gershwin, Alexander Konstantinowitsch Glasunow und Pierre Boulez Eingang gefunden.

25 **HÖRBEISPIEL**
Saxophon Solo

TONLEITER MIT EINEM ♭

Zur Erinnerung:

Die *C-Dur-Tonleiter* hat *kein Vorzeichen*. Jede *Dur-Tonleiter* besteht aus ***zwei Halbtonschritten (zwischen der 3. und 4. sowie der 7. und 8. Tonstufe)*** und ***fünf Ganztonschritten!***

C-Dur

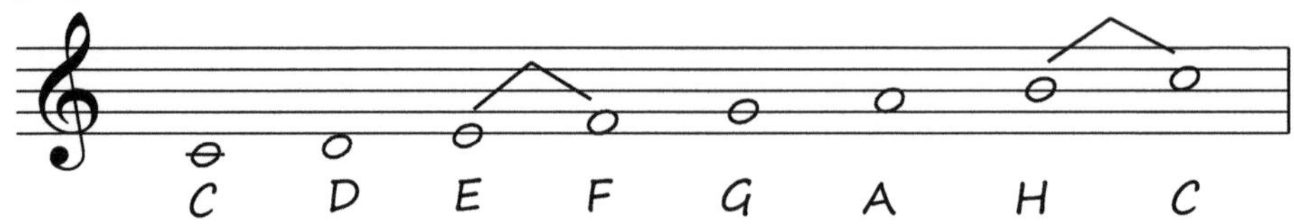

Die F-Dur-Tonleiter und ihre parallele Tonleiter D-Moll hat ein ♭ Vorzeichen (h wird zu b).
Wie du im Quintenzirkel sehen kannst, befindet sich das F einen Schritt weiter im Gegenuhrzeigersinn.

ÜBUNG

TONLEITER

Vervollständige die Tonleiter, indem du die **Halbtonschritte** und **Notennamen** einzeichnest.

F-Dur

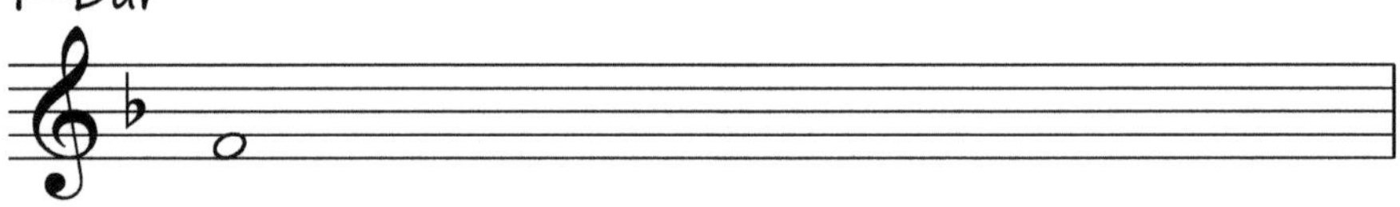

D-Moll (natürlich)

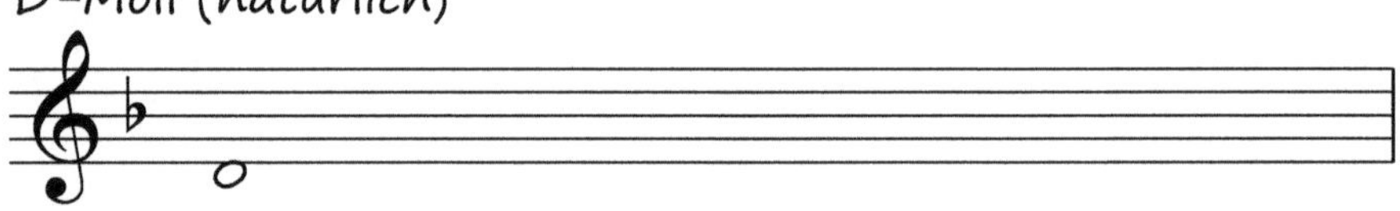

F-Dur

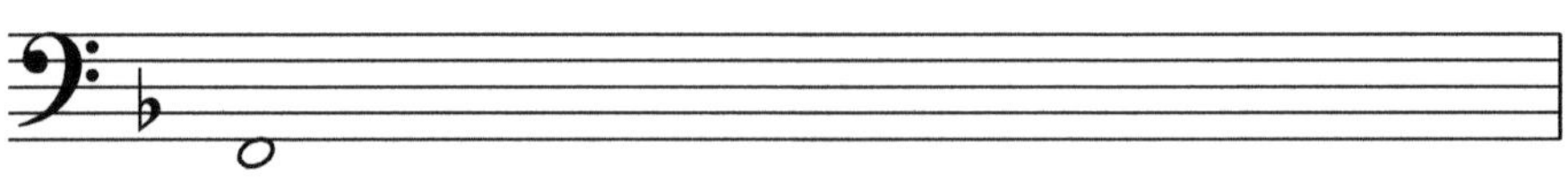

D-Moll (natürlich)

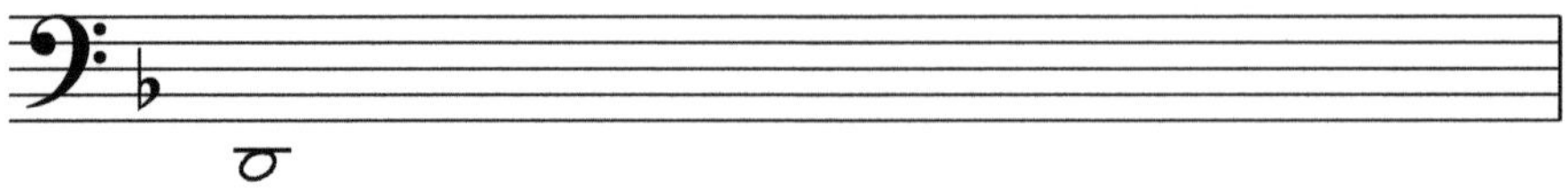

VORZEICHENTABELLE

Alle Vorzeichen der verschiedenen Tonarten in der praktischen Übersichtstabelle:

C-Dur
A-Moll

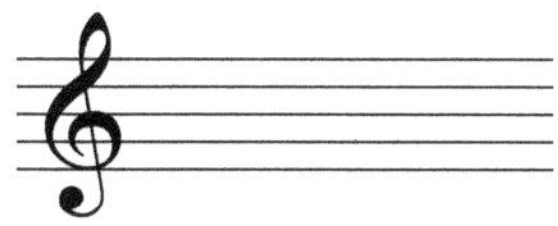

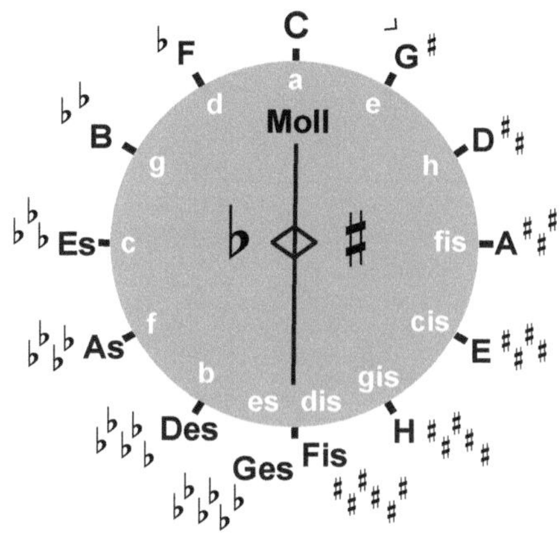

F-Dur
D-Moll

b

G-Dur
E-Moll

fis

B-Dur
G-Moll

b es

D-Dur
H-Moll

fis cis

Es-Dur
C-Moll

b es as

A-Dur
Fis-Moll

fis cis gis

As-Dur
F-Moll

b es as des

E-Dur
Cis-Moll

fis cis gis dis

Des-Dur
B-Moll

b es as des ges

H-Dur
Gis-Moll

fis cis gis dis ais

Ges-Dur
Es-Moll

b es as des ges ces

Fis-Dur
Dis-Moll

fis cis gis dis ais eis

INSTRUMENTENKUNDE - DAS HORN

Das moderne Ventil-Horn hat sich aus dem historischen Naturhorn entwickelt, welches noch immer Verwendung findet. In den meisten Fällen heutzutage kommt ein Instrument mit drei Ventilen und einem Umschaltventil zum Einsatz, das sogenannte Doppelhorn. Mithilfe eines Trichtermundstücks wird die Luftsäule in dem Blechblasinstrument in Schwingung versetzt. Die Möglichkeiten zur Tongestaltung bezüglich Dynamik und Klangfarbe sind bei Hörnern vergleichsweise groß, wenngleich sie ein wenig von der verlangten Tonhöhe abhängt. Hörner werden transponierend und meistens im Bassschlüssel notiert. In höheren Lagen kann auch auf den Violinschlüssel zurückgegriffen werden.

Das Horn entwickelte sich mit der fortschreitenden Perfektionierung seiner Bauart und Technik im Laufe der Musikgeschichte von einem eher sporadisch eingesetzten Instrument zu einem festen Bestandteil des Orchesters und ist spätestens seit der Klassik und Romantik nicht mehr wegzudenken. Neben seiner tragenden Rolle in Klangkörpern wie Orchestern, oder auch reinen Blasorchestern, hat es aber auch in der Kammermusik und als Soloinstrument seine Bedeutung. Zahlreiche Komponisten haben Konzerte für das Horn im Orchester geschrieben, z. B. Josef Haydn und Wolfgang Amadeus Mozart, die beide mehrere solcher Kompositionen verfasst haben. Bekannt ist auch das Concertino für Horn und Orchester in E-Moll von Carl Maria von Weber sowie zahlreiche Stücke von zeitgenössischen Komponisten.

26

HÖRBEISPIEL
Carl Maria von Weber – „Der Freischütz" Overture, Hornsolo

INTERVALLE FEINBESTIMMUNG

Wir haben die Intervalle bereits in der ***Grobbestimmung*** in Prim(e), Sekund(e), Terz, Quart(e), Quint(e), Sext(e), Septim(e) und Oktav(e) eingeteilt. Der nächste Schritt ist die ***Feinbestimmung*** der Intervalle.

GROSSE UND REINE INTERVALLE

Intervalle, die zwischen dem Grundton einer Dur-Tonleiter und einem anderen, leitereigenen (diatonischen) Ton auftreten, können entweder ***reine (r)*** Intervalle oder ***große (g)*** Intervalle sein.

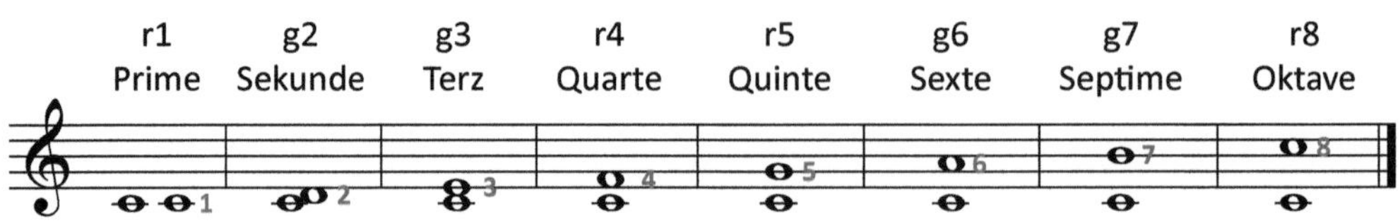

Gehe bei der Feinbestimmung der Intervalle wie folgt vor:

1. Schritt: Der tiefere Ton ist der Grundton der Dur-Tonleiter (im Beispiel G-Dur).
2. Schritt: Überprüfe, ob der höhere Ton in der jeweiligen Dur-Tonleiter enthalten ist.
   A. H kommt in G-Dur vor. Das Intervall ist also eine große Terz.
   B. B kommt nicht in der G-Durtonleiter vor. Es ist also eine kleine Terz (siehe kleine Intervalle).

KLEINE INTERVALLE

Ein kleines Intervall entsteht, wenn man ein großes Intervall um einen Halbtonschritt verkürzt.

VERMINDERTE INTERVALLE

Ein vermindertes Intervall entsteht, wenn man ein reines Intervall oder ein kleines Intervall um einen Halbtonschritt verkürzt.

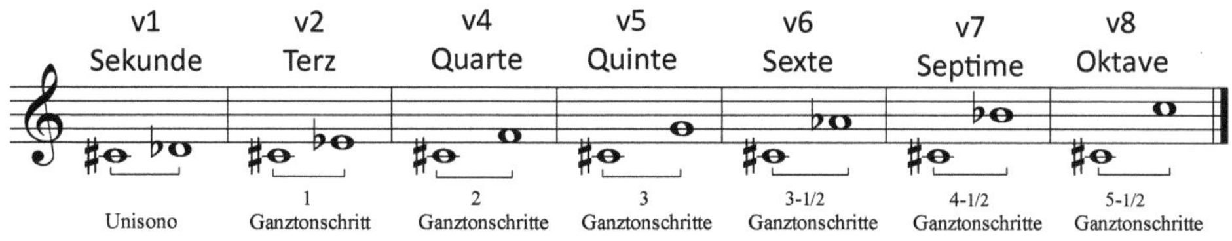

ÜBERMÄSSIGE INTERVALLE

Ein übermäßiges Intervall entsteht, wenn man ein reines Intervall oder ein großes Intervall um einen Halbtonschritt erhöht.

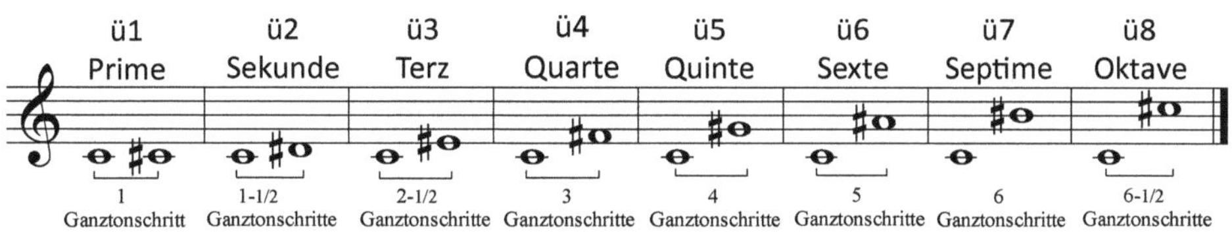

Ein spezieller Vertreter unter den Intervallen ist der Tritonus auch „Teufelsintervall" genannt. Sein Abstand beträgt drei Ganztöne. Er galt ursprünglich nur für die übermäßige Quarte (ü4), wird heute jedoch häufig auch für die verminderte Quinte (v5) verwendet.

ÜBUNG

INTERVALLE FEINBESTIMMUNG

Gehe bei der Feinbestimmung der Intervalle wie folgt vor:

1. Schritt: Der tiefere Ton ist der Grundton der Dur-Tonleiter (im Beispiel C-Dur).

2. Schritt: Überprüfe, ob der höhere Ton in der jeweiligen Dur-Tonleiter enthalten ist.

3. Schritt: As ist in der C-Dur-Tonleiter nicht enthalten. Das Intervall ist also eine kleine Sexte.

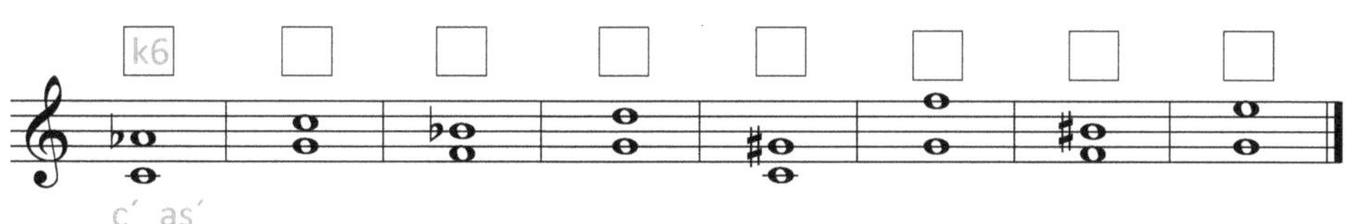

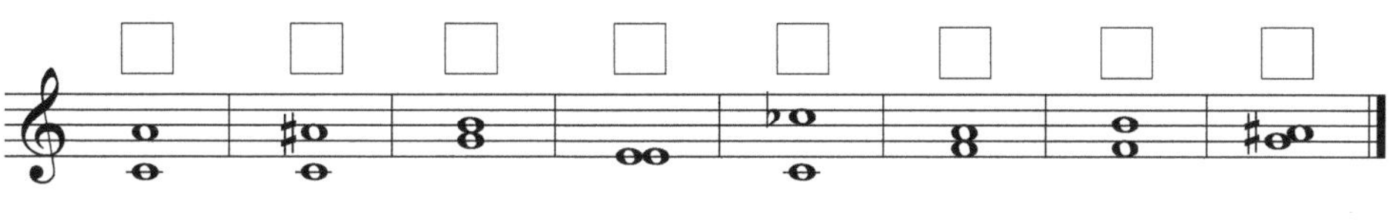

AKKORDE / DREIKLÄNGE

DIE AKKORDE

Klingen drei unterschiedliche Töne gleichzeitig, sprechen wir von einem Akkord oder Dreiklang. Diese bauen auf einem Grundton auf und werden in sogenannten Terzen übereinandergeschichtet, was gerne auch als „Schneemanprinzip" bezeichnet wird. Gitarristen sind Akkorde auch als „Griffe" bekannt. Akkorde werden hauptsächlich dazu verwendet, Melodien oder Gesang zu begleiten.

Die tiefste Note ist der Grundton.
Die Note eine Terz darüber wird die Terz genannt.
Die Note eine Quinte darüber wird die Quinte genannt.

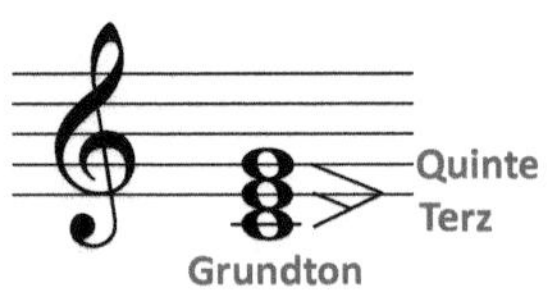

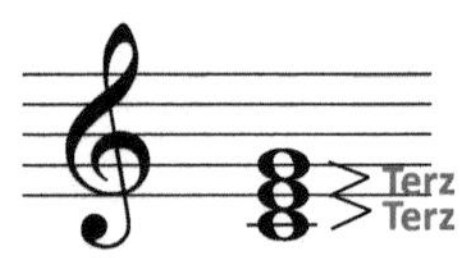

DIE VIER AKKORDTYPEN

Da es große Terzen und kleine Terzen gibt, ergeben sich folgende vier Möglichkeiten:

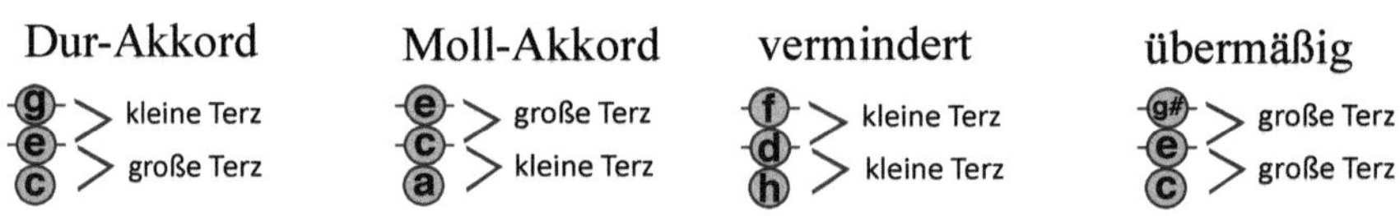

Die Quinte ist das Rahmenintervall (der Abstand zwischen dem unterstem und oberstem Ton) dieser Akkorde. Dur- und Moll-Akkorde haben immer eine reine Quinte. Verminderte und übermäßige Akkorde sind nach ihrem Rahmenintervall benannt: die verminderte bzw. übermäßige Quinte.

27 **HÖRBEISPIEL**
Die vier Arten des Dreiklangs.

ÜBUNG
AKKORDE

Handelt es sich bei den folgenden Intervallen um große oder kleine Terzen?

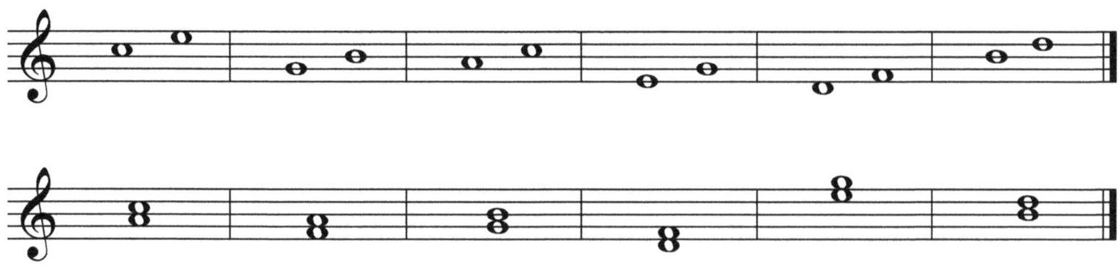

Handelt es sich bei den folgenden Dreiklängen um Dur-, Moll-, verminderte, oder übermäßige Akkorde?

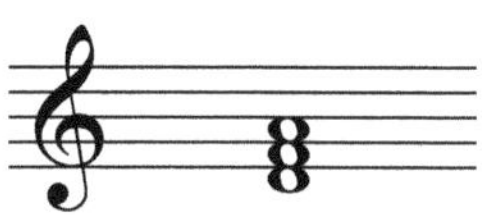

D-Moll

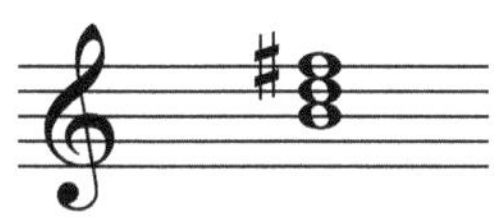

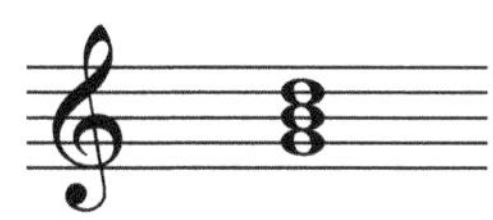

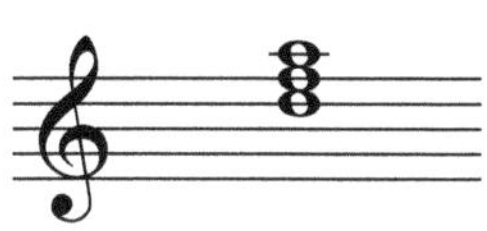

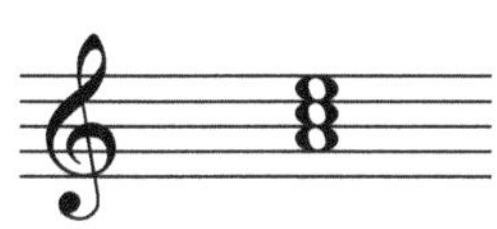

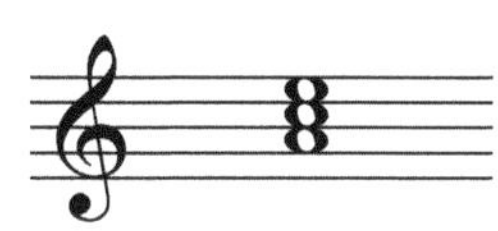

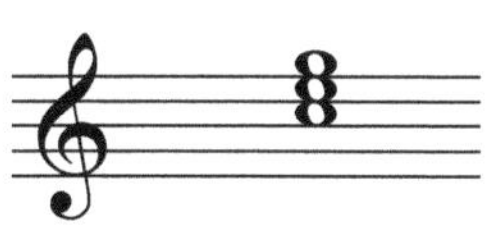

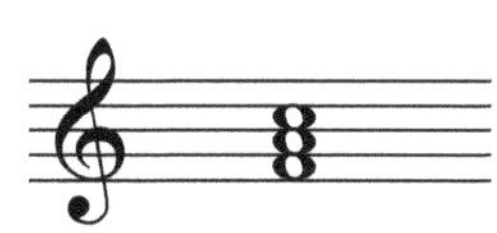

DIE STUFENDREIKLÄNGE

Bildet man auf der Basis der C-Dur-Tonlieter ***leitereigene Dreiklänge***, so entstehen folgende Stufenakkorde. Bei Dur-Tonleitern ist das Akkordgeschlecht (moll, Dur, verm., überm.) auf jeder Stufe immer gleich und somit auf jede andere Dur-Tonleiter übertragbar.

Tonleiterstufe Römische Ziffer	I	ii	iii	IV	V	vi	vii°	I
C-Dur	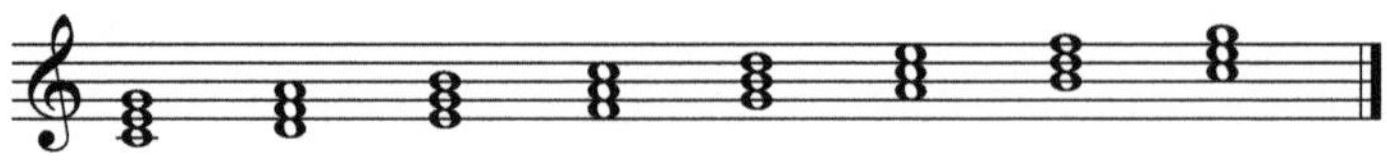							
Akkordbezeichnung	C-Dur	D-Moll	E-Moll	F-Dur	G-Dur	A-Moll	H-verm.	C-Dur
Akkordsymbole:	C	Dm	Em	F	G	Am	H°	C

Es ergeben sich auf der I., IV., und V. Stufe immer ein Dur-Akkord, auf der II., II., und VI. Stufe immer ein Moll-Akkord und auf der VII. Stufe ein verminderter Akkord.

ÜBUNG

STUFENDREIKLÄNGE

Schreibe die richtigen Akkordsymbole unter die Akkorde.

I ii iii IV V vi vii° I

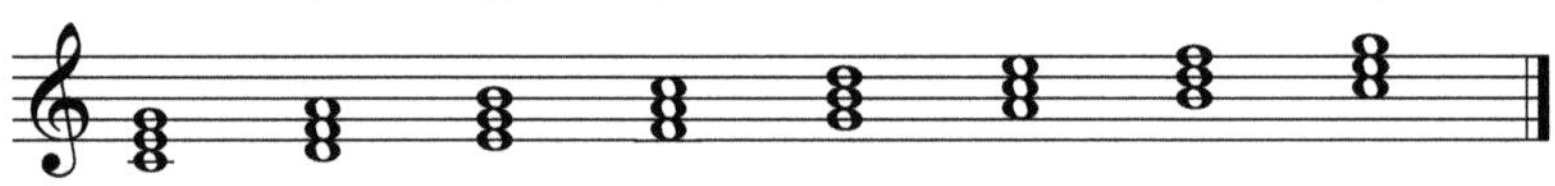

Schreibe die richtigen Akkordsymbole unter die Akkorde.

I ii iii IV V vi vii° I

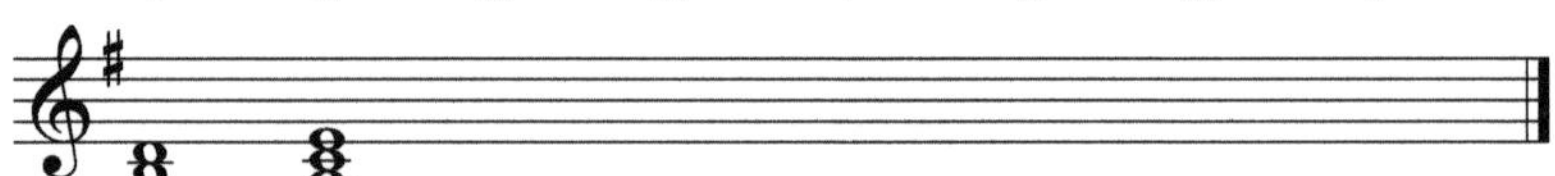

!

Merke: Akkordsymbole ermöglichen die Identifikation spezifischer Akkorde. Stufenakkorde,angezeigt durch römische Ziffern, kennzeichnen die Position eines Akkordes in der diatonischen Tonleiter einer Tonart, relativ zum Grundton. Diese Akkorde haben bestimmte Funktionen in ihrer Tonart, die durch ihre harmonische Rolle definiert sind.

Jeder Akkord erfüllt eine eigene Funktion innerhalb der jeweiligen Tonart.

DIE FUNKTIONSBEZEICHNUNGEN

Jeder Dreiklang in einer Tonleiter erfüllt eine **Funktion** in der Musik mit der wir ***Spannung (S)*** und ***Entspannung (E)*** erzeugen können. Sie bestimmen den Ablauf eines Musikstücks und erfüllen verschiedene Aufgaben in einer Komposition.

Beispiel C-Dur-Tonleiter:

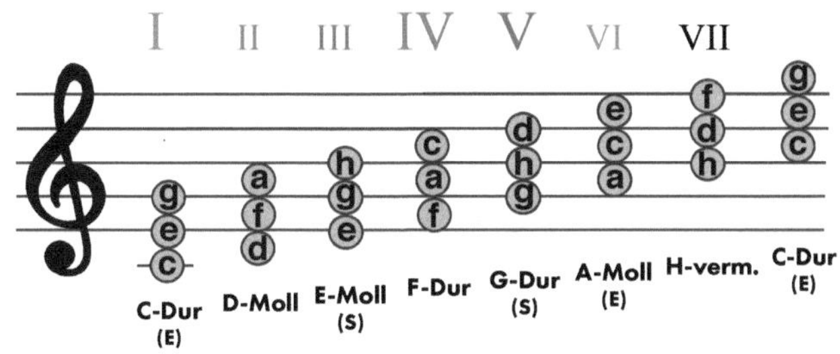

HAUPTDREIKLÄNGE

DIE WICHTIGSTEN FUNKTIONEN IN DER MUSIK SIND:

Stufe I (Tonika), die ***Stufe IV (Subdominante)*** und die ***Stufe V (Dominante)***

Die Tonika entspricht einer entspannten Szene in einem Film, in dem die Handlung ruhig und harmonisch verläuft. Die Subdominante führt eine gewisse Spannung ein, ähnlich wie eine aufkeimende Konfliktsituation in einem Film. Die Dominante ist wie der Höhepunkt eines spannenden Moments, der die Zuschauer fesselt und die Spannung auf den Höhepunkt bringt.

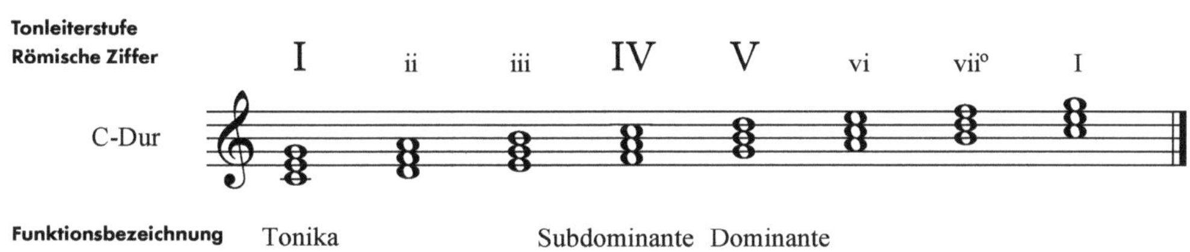

28 **HÖRBEISPIEL**
Beispiel für „Funktionen“ in der Musik.

DIE KADENZ

Die Verbindung der drei Hauptdreiklänge wird in der klassischen Harmonielehre als Kadenz bezeichnet. Eine Kadenz ist eine harmonische Abfolge von Akkorden, die zur Markierung des Endes eines musikalischen Abschnitts oder Stücks dient.

I	—	IV	—	V	—	I
Tonika		Subdominante		Dominante		Tonika
C-Dur		F-Dur		G-Dur		C-Dur

Musikpraxis-Tipp: In einer Kadenz steigt die Dynamik in der Regel an, um die Spannung vor der Rückkehr zur Tonika zu betonen und nimmt ab, um eine entspannte Auflösung zu schaffen.

I — IV — V — I

p ——— ***f*** ——— ***p***

Die Geschwindigkeit innerhalb einer Kadenz neigt oft dazu, zur Dominanten anzusteigen (accelerando), um die Spannung zu betonen, bevor sie in der typischen Dominate-Tonika-Schlusswendung wieder abnimmt (ritardando).

I — IV — V — I

accel. rit.

Auf der Dominanten wird in der Musikpraxis oft ein Dominantsept-Akkord (z.B. G7) gespielt. Hier wird auf den Dreiklang noch eine vierte Note draufgepackt, die kleine Septe.

V^7

NEBENDREIKLÄNGE

Den drei Hauptdreiklängen wird jeweils ein Moll-Dreiklang als „Parallele" zugeordnet. Diese liegen eine kleine Terz unter ihrem Hauptdreiklang und teilen sich zwei gemeinsame Noten.

Die Parallelen dienen auch als „Ersatzakkorde" für die drei Hauptstufen. Stufe VI (Tonikaparallele), II (Subdominantparallele), Stufe III (Dominantparallele oder Tonikagegenklang)

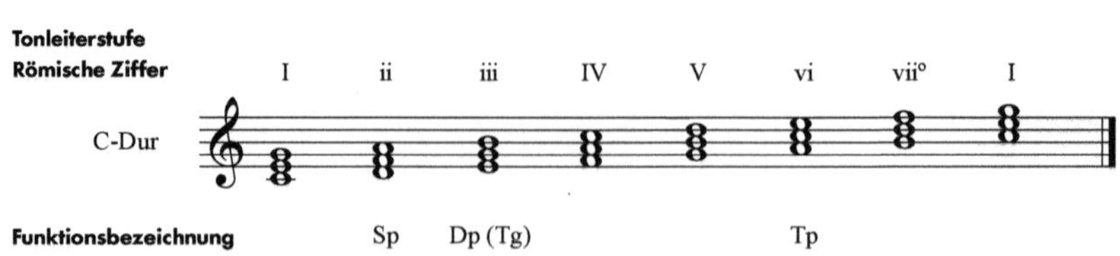

WIEDERHOLUNGSKLAMMERN

Wiederholungsklammern ermöglichen es uns, Abschnitte zu wiederholen, ohne sie erneut aufzuschreiben. Die Klammern werden paarweise gesetzt, wobei der Anfangs- und Endpunkt des zu wiederholenden Abschnitts markiert werden.

Einzelklammern oder gar dreifache Klammern sind in der Musiknotation nicht zulässig.

Optional können am Ende einer wiederholten Passage sogenannte Häuser für unterschiedliche Schlusswendungen gesetzt werden.

Prima Volta: Das italienische Wort „prima volta" bedeutet erste Zeit oder erstes Mal. Wenn eine Passage mit „1"markiert ist, bedeutet dies, dass sie beim ersten Durchgang gespielt werden soll.

Seconda Volta: „Seconda volta" bedeutet zweites Mal. Wenn eine Passage mit „seconda volta" markiert ist, bedeutet dies, dass sie beim zweiten Durchgang anstelle der „prima volta" gespielt werden soll.

Dies dient dazu, Abwechslung und Variation einzubringen. Diese Markierungen werden oft mit speziellen Wiederholungsklammern und Texten wie „1st time only" und „2nd time only" in der Partitur verwendet, um den Musikern anzuzeigen, welche Teile sie bei jedem Durchgang spielen sollen.

REPRISEN

Eine weitere Möglichkeit zur Wiederholung von Passagen ist die Reprise. Diese kann auf unterschiedliche Weise erfolgen. Die Anweisungen werden oft miteinander kombiniert:

da Capo / D.C. = zurück zum Anfang
al Fine = bis zum Schluss

dal Segno / D.S. = zurück zum Zeichen
senza Repetitione / S.R. / no repeat = Reprise ohne Wiederholungen
con Repetitione / repeat = Reprise mit Wiederholungen
al Coda = bis zu „al Coda" bzw. zum ersten Codazeichen, anschließend ab dem zweiten Codazeichen, die Passage dazwischen wird übersprungen.

„Da Capo al Fine" bedeutet übersetzt vom Anfang bis zum Schluss.
Du wiederholst das Stück also vom Anfang bis zur Markierung „Fine".

1. Takt 1-4
2. Takt 1-2

„Dal Segno al Fine" bedeutet vom Zeichen bis zum Schluss.
Wiederhole vom Zeichen (Segno) bis zur Markierung „Fine".

1. Takt 1-6
2. Takt 3-4

„Da Capo al Coda" bedeutet, dass du vom Anfang wiederholst und bei der Markierung „al Coda" bis zur Coda (Anhang) springst. Das Codazeichen hilft dir, die Coda zu finden.

1. Takt 1-4
2. Takt 1-2
   (ohne Takt 2-4)
3. Takt 5-6

VERZIERUNGEN

Verzierungskunst oder *Ornamentik* in der Musik bezieht sich auf kurze Tonfolgen, die eine Note schmücken und verschönern. Die Ausführung von Verzierungen war historisch von Modetrends und regionalen Einflüssen geprägt und erfordert ein Verständnis der jeweiligen Epoche und des Kompositionsstils. Die heute gebräuchlichsten Verzierungen sind:

Der kurze Vorschlag

Die kurze Vorschlagsnote ist eine schnell gespielte Note vor der Hauptnote. Sie ist kleiner notiert, hat einen durchgestrichenen Hals und wird oft durch einen Bogen mit der Hauptnote verbunden.

Der lange Vorschlag

Die Dauer des langen Vorschlags entspricht der Hälfte der Zeitdauer des nachfolgenden Haupttons. Die Hauptnote wird also um den Wert des Vorschlags gekürzt.

Der Praller oder Pralltriller

Der Praller ist die kürzeste Form des Trillers. Er wird mit der Nebennote über der notierten Hauptnote getrillert.

Der Mordent

Der Mordent ist ein weiterer kurzer Triller. Er wird mit der Nebennote unter der Hauptnote getrillert.

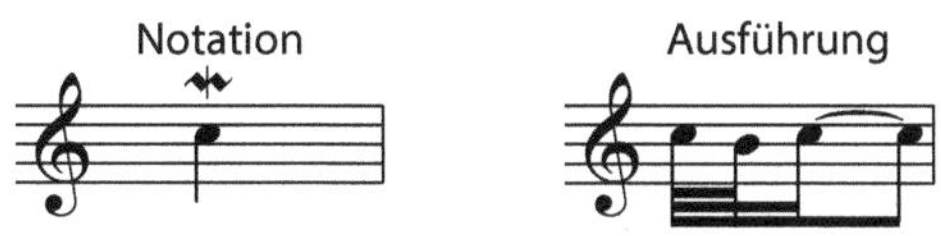

Ein Triller ist eine musikalische Verzierungstechnik, bei der der Musiker rasch zwischen der im Notentext angegebenen Hauptnote und einer Nebennote, die durch das darüber notierte Trillerzeichen festgelegt ist, hin- und herspielt.

Die Distanz zwischen der Hauptnote und der Nebennote beträgt immer entweder eine kleine oder große Sekunde.

DAS ARPEGGIO

Ein *Arpeggio* (gebrochener Akkord) ist eine Abfolge von Einzeltönen eines Akkords, die nacheinander und nicht gleichzeitig gespielt oder gesungen werden. Es wird in der Musik verwendet, um Akkorde melodisch zu zerlegen und zu betonen.

DIE FERMATE

Eine Fermate ist ein Zeichen, das anzeigt, wann ein Ton oder eine Pause länger als notiert gehalten werden sollte. Sie erlaubt dem Musiker, künstlerisch und ausdrucksstark zu variieren, indem sie die Dauer eines Tons oder einer Pause nach eigenem Ermessen verlängert.

Die genaue Länge wird also vom Musiker oder Dirigenten bestimmt und hängt vom musikalischen Kontext ab und trägt zur Interpretation und zum emotionalen Ausdruck eines Musikstücks bei.

DER FAULENZER

Faulenzer werden verwendet, um wiederholte Takte auf einfache Weise darzustellen. Dabei handelt es sich um schräg stehende, punktierte Balken, die entweder einfach (eintaktige Wiederholung) oder doppelt (über zwei Takte) verwendet werden können, um ein- oder zweitaktige Wiederholungen darzustellen.

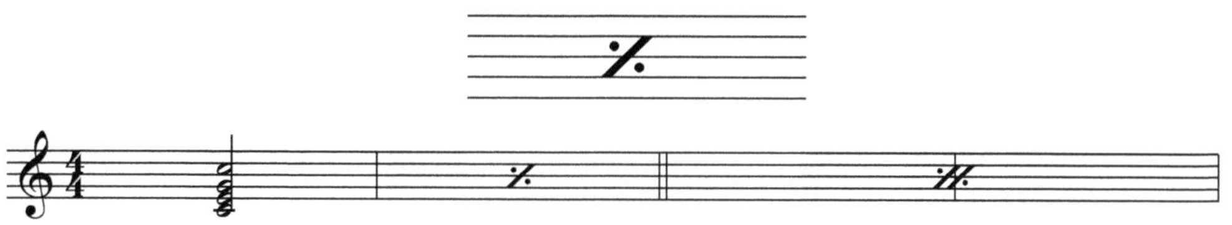

Einfache Balken ohne Punkte werden innerhalb eines Takts verwendet, wenn eine Figur sich mehrmals wiederholt aber nur das erste Mal im Notentext notiert wird.

TREMOLO

GRUNDBEGRIFFE DER AKUSTIK

Die Akustik (von griech.: akoúein = hören) ist die Lehre vom Schall. Als Teilgebiet der Physik greift sie mit ihren Gesetzmäßigkeiten unmittelbar in die künstlerischen Gestaltungsformen der Musik ein.

Stimmgabel
a¹ = 440 Hz

Der Ton: Er ist das Resultat einer einfachen sinusförmigen Schwingung und kommt in der Musikpraxis nicht vor. Wenn wir auf unseren Instrumenten einen Ton erzeugen, schwingen zum Grundton noch weitere periodische Schwingungen mit.

Die Obertöne: Auch Teil- oder Partialtöne genannt, schwingen sie über der Grundschwingung und ergeben den Klang sowie die Instrumentenspezifischen Klangfarben.

Der menschliche Hörbereich: Das menschliche Ohr nimmt Schwingungen von ca. 16 Hz in der Tiefe und in etwa 20000 Hz im oberen Bereich wahr (Ziegenrücker 1997: 13).

Der Stimmton, auch Kammerton genannt, ist ein Referenzton, auf den sich Instrumente und Sänger abstimmen können. Er wurde, nach mehrfacher Veränderung in der Geschichte, 1939 auf einer internationalen Konferenz in London auf: a1 = 440 Hz festgelegt.

Tonsystem

Unser heutiges Tonsystem teilt den Oktavraum in 12 gleiche Halbtöne. Das sogenannte temperierte Tonsystem weicht von der natürlichen Obertonreihe ab.

DARSTELLUNG DER SAITENVERHÄLTNISSE UND OBERTÖNE (FLAGEOLETTÖNE):

Teilt man eine Saite in zwei gleiche Teile, klingt sie eine Oktave höher.

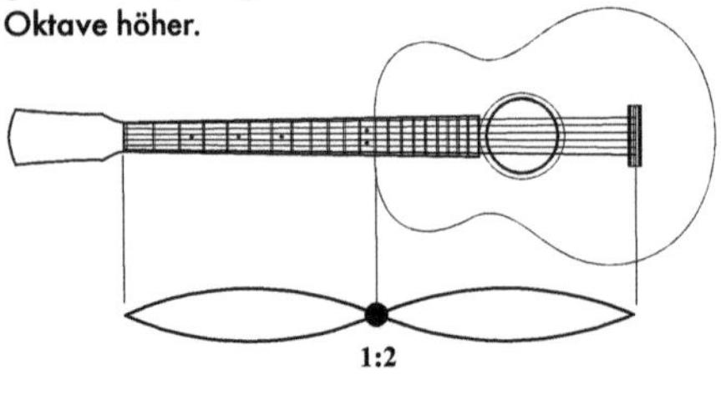

Teilt man sie in drei gleiche Teile, erklingt die Quinte des Grundtons.

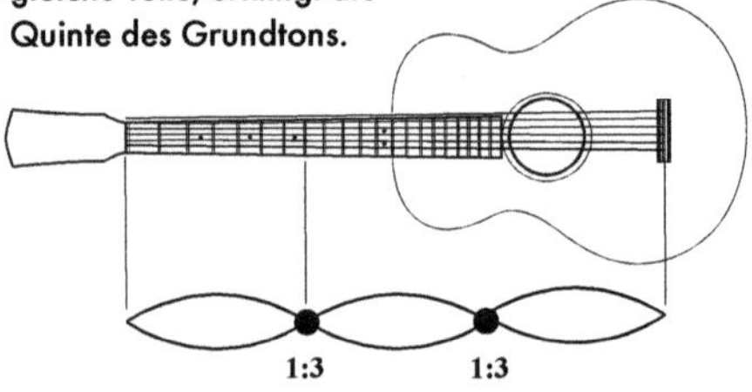

1:1 Grundton, 1:2 Oktave; 1:3 Qinte; 1:4 Doppeloktave; 1:5 Terz usw.

Die ersten fünf Obertöne bilden zusammen mit dem Grundton einen Dur-Akkord. Der Dur-Akkord ist somit naturgegeben!

GRUNDBEGRIFFE DER RHYTHMUSANALYSE

Puls: Gleichbleibende Abfolge von Impulsen.

Beat: Kann einen einzelnen Schlag innerhalb der Pulsfolge meinen, wird aber auch als Synonym für den Puls verwendet. Der ***Grundschlag*** wird beim Hören als Referenzpuls wahrgenommen.

Tempo: Häufigkeit der Grundschläge pro Minute. Wird in bpm = ***beats per minute*** gemessen.

Rhythmus: Tatsächlich erklingende zeitliche Organisation von Tönen.

Down-Beats: Betonte, schwere Grundschläge innerhalb des Taktes. Im 4/4-Takt 1 und 3. Wird in typischen Rockrhythmen mit der Base-Drum gespielt.

Back-Beats: Unbetonte, leichte Grundschläge innerhalb des Taktes. Im 4/4-Takt 2 und 4. Wird in typischen Rockrhythmen mit der Snare-Drum gespielt.

Off-Beat: Eine metrisch eigentlich unbetonte Zählzeit. Er erzeugt eine Art rhythmisches Gegenmuster und kann dazu führen, dass die Musik lebhafter oder tanzbarer wirkt. Ein Beispiel ist „Stop that Train" von Bob Marley.

Synkope: Akzentverschiebung. Sie steht anstelle des eigentlich erwarteten Schwerpunktes, welcher entweder nicht betont oder ausgelassen wird.

Microtiming: Minimale (meist systematische) Abweichung vom Grundschlag. Der Schlag wird bezogen auf den Grundschlag minimal verschoben.

Laid-Back: Eine Spielweise, bei der die rhythmischen Betonungen leicht hinter dem exakten Grundschlag liegen.

Tight oder Strict Timing: Rhythmisch exakt auf dem Grundschlag.

Polyrhythmus: Mehrere Rhythmen werden gleichzeitig gespielt.

29 **HÖRBEISPIEL**
Zusatzaufgabe

ZUSATZAUFGABE

Du hörst verschiedene Instrumente.
Schreibe die passenden Instrumente in die leeren Felder.

1	2	3	4	5

1 Ralph von Appen: Analyse und Interpretation populärer Musik.

STIMMLAGEN

Stimmlage ist ein Begriff in der Musik, der verwendet wird, um Singstimmen oder Musikinstrumente basierend auf ihrem Tonumfang zu klassifizieren. Dabei bezieht sich der Tonumfang auf die Palette von Tönen, die von den jeweiligen Stimmorganen oder den physikalischen Eigenschaften des Instruments erzeugt werden können. Die gebräuchlichsten Stimmlagen sind Sopran, Alt, Tenor und Bass. Diese Bezeichnungen wurden ursprünglich für Vokalmusik eingeführt und später sinngemäß auch auf Instrumentalmusik angewendet.

DIE C-SCHLÜSSEL

Der C-Schlüssel wird verwendet, um die Position des Notennamens C auf dem Notenlinien zu bestimmen.

Liegt er auf der mittleren Notenlinie, zeigt er an, dass die mittlere Linie des Notenlinien-Systems C entspricht. Diese Position des C-Schlüssels nennt man Altschlüssel. Er ist in der Regel für Instrumente wie die Viola und die Altklarinette, sowie auch für die einzelne Alt-Stimme gebräuchlich.

Altschlüssel

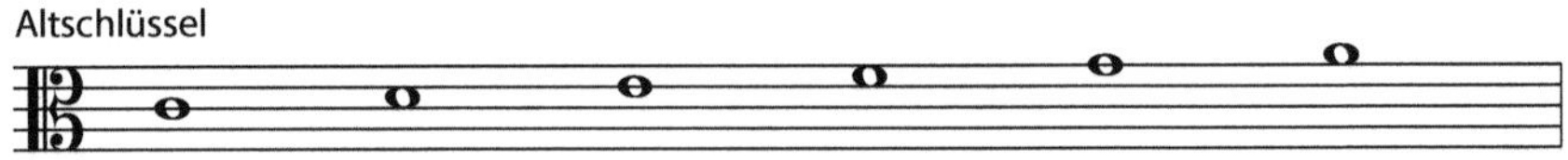

Liegt der C-Schlüssel auf der 4. Notenlinie, heißt er Tenorschlüssel. Beispiele sind hohe „Männerstimmen" Tenor, Fagott und Posaune.

Tenorschlüssel

Liegt der C-Schlüssel auf der 1. Notenlinie, wird er als Sopranschlüssel bezeichnet. Beispiele sind hohe „Frauenstimmen" Sopran und Piccoloflöte.

Sopranschlüssel

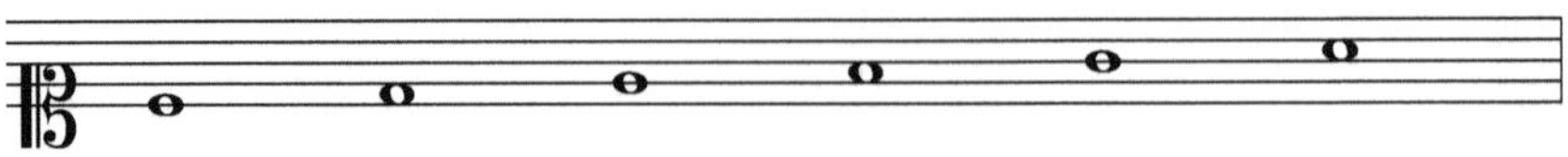

Praxistipp: C-Schlüssel sind in der musikalischen Praxis eher selten anzutreffen und erfordern daher keine ausgiebige Übung im Buch.

INSTRUMENTENKUNDE

KLASSIFIZIERUNG UNSERER MUSIKINSTRUMENTE

Die heutzutage gebräuchlichen Musikinstrumente können anhand verschiedener Kriterien kategorisiert werden:

1. Nach ihrem Einsatz in der Musikpraxis, z. B. in Orchesterinstrumente, Instrumente der Rockband, Volksmusikinstrumente etc.
2. Nach ihrer Spielweise, z. B. in Tasteninstrumente, Blasinstrumente, Zupfinstrumente und Streich- oder Schlaginstrumente.
3. ***Nach der physikalischen Grundlage ihrer Tonerzeugung. Diese Kategorisierung hat sich in neuester Zeit durchgesetzt und ist das heutzutage am weitesten verbreitete System zur Einteilung von Musikinstrumenten.***

- **Aerophone (Luftklinger)**
  Bei den Aerophonen beruht die Tonerzeugung auf einer schwingenden Luftsäule, z. B. Orgel, Flöte und Trompete.

- **Chordophone (Saitenklinger)**
  Bei den Chordophonen basiert die Tonerzeugung auf der Schwingung von Saiten und der Körper dient zur Klangverstärkung, z. B. Geige, Gitarre und Klavier.

- **Membranophone (Fellklinger)**
  Bei den Membranophonen dient ein schwingendes Fell zur Tonerzeugung und der Korpus dient der Verstärkung, z. B. Trommel und Pauke.

- **Idiophone (Selbstklinger)**
  Bei den Idiophonen dient der Klangkörper selbst zur Tonerzeugung, z. B. Triangel, Becken und Xylophon.

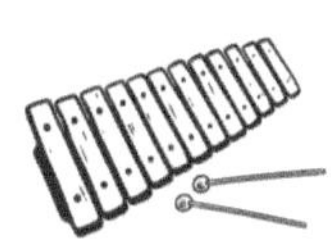

- **Elektrophone (Elektroklinger)**
  Elektrophone benötigen zur Wiedergabe des Schallereignisses Kopfhörer oder Lautsprecher.

Die Hornbostel-Sachs-Systematik ist ein Klassifikationssystem für Musikinstrumente. Sie wurde 1914 von Erich Moritz von Hornbostel und Curt Sachs in der Zeitschrift für Ethnologie unter dem Titel „Systematik der Musikinstrumente - ein Versuch" veröffentlicht.

ÜBERBLICK DER MUSIKGESCHICHTE

Antike (ca. 500 v. Chr. - 476 n. Chr.):
Geprägt von religiöser und zeremonieller Musik. Griechische und römische Kulturen legten die Grundlagen für Musiktheorie. Instrumente wie Lyra und Aulos begleiten kulturelle Ausdrucksformen.

Mittelalter (ca. 476 - 1400):
Dominiert von sakraler Musik, darunter der einstimmige Gregorianische Choral. Die Entwicklung der Notenschrift ermöglichte die schriftliche Überlieferung von Musik.

Renaissance (ca. 1400 - 1600):
Die polyphone Musik blühte auf. Erste Opern entstanden in Italien und verknüpften Musik mit Drama. Die Entwicklung des Buchdrucks beschleunigte die Verbreitung musikalischer Ideen.

Barock (ca. 1600 - 1750):
Die Komplexität der Tonarten und Formen nahm zu. Bach, Händel und Andere schaffen bedeutende Werke. Orchester und Opern gewinnen an kultureller Bedeutung.

Klassik (ca. 1750 - 1820):
Klarheit, Symmetrie und Melodik prägen die Musik. Mozart, Haydn und Beethoven entwickelten formvollendete Werke. Sinfonien und Streichquartette wurden gerne komponiert.

Romantik (ca. 1815 - 1910):
Individueller Ausdruck und Emotion standen im Vordergrund. Schubert, Chopin und Liszt komponierten Klaviermusik. Orchester wurden größer und musikalische Ausdrucksformen intensiver.

Moderne und das 20. Jahrhundert (ca. 1900 - heute):
Eine große Vielfalt an Stilrichtungen entstand. Impressionismus, Atonalität und Minimalismus. Elektronische Musik und Tonträger veränderten die Produktion und das Hörerlebnis. Jazz, Blues, Pop, Rock und Hip-Hop prägten die moderne Musikwelt.

Heute (ab 21. Jahrhundert):
Globale Vernetzung und Technologie prägen die Musiklandschaft. Online-Plattformen und Streaming revolutionieren die Musikverbreitung. Vielfältige Genres wie elektronische Musik und Pop prägen die zeitgenössische Szene

30 **HÖRBEISPIEL**
Zusatzaufgabe

ZUSATZAUFGABE

Du hörst Musik aus den oben beschriebenen Epochen. Schreibe die richtigen Epochen in die leeren Felder.

1	2	3	4	5

ÜBUNGSTEIL

ÜBUNG MACHT DEN MEISTER

Folgende Tipps zeigen dir, worauf du achten sollst, und helfen dir, dich beim Notenlesen zu verbessern.

Praxistipp: Vom-Blatt-Spiel (engl.: Sight-Reading) nennt man das Spielen eines Stücks, das du vorher noch nie gesehen oder gehört hast. Es ist ein besonderes Erlebnis, ein Musikstück gleichzeitig das erste Mal zu spielen und zu hören. Dabei geht es um das ganzheitliche Erfassen der Musik durch Hören, Spielen und Fühlen, sowohl auf einer musikalischen als auch einer intellektuellen Ebene, die wir uns durch das Notenlesen und die Musiktheorie angeeignet haben.

Ein unvergessliches Abenteuer!

1. Sieh dir die Taktangabe genau an und zähle mindestens einen Takt lang im Kopf vor.
2. Gibt es Vor- oder Versetzungszeichen?
2. Achte auf melodische Muster, Bewegungen, Tonwiederholungen und Sprünge.
3. Versuche, wie auch beim Lesen eines Buches, immer etwas voraus zu lesen.
4. Lese und spiele in einem angemessen, langsamen Tempo.

Wenn du noch kein Instrument spielst oder singst, möchte ich dich an dieser Stelle dazu ermutigen. Setze das, was du im Buch gelernt hast, direkt in die Praxis um. Du wirst es lieben!

BONUS

GITARRENTRAINING

PROGRESSIVER ÜBUNGSTEIL

Die folgenden Übungen helfen dir dabei, das Notenlesen zu verinnerlichen. Schreibe die Notennamen unter und die Zählzeiten über die Zeilen.

PRAXISTIPP: Spiele die Übungen mit deinem Instrument oder singe die Noten mit.

1.

2.

3.

4.

5.

6.

7.

8.

9.

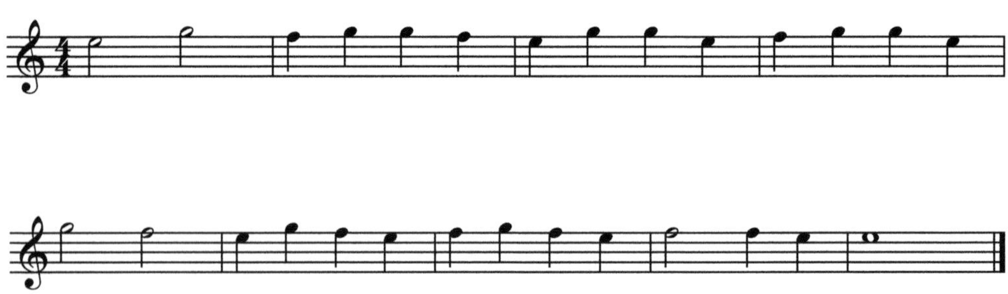

10.

11.

12.

13.

14.

15.

16.

17.

18.

NOTEN-ÜBUNGEN

Trage die Notennamen unter den Noten ein.

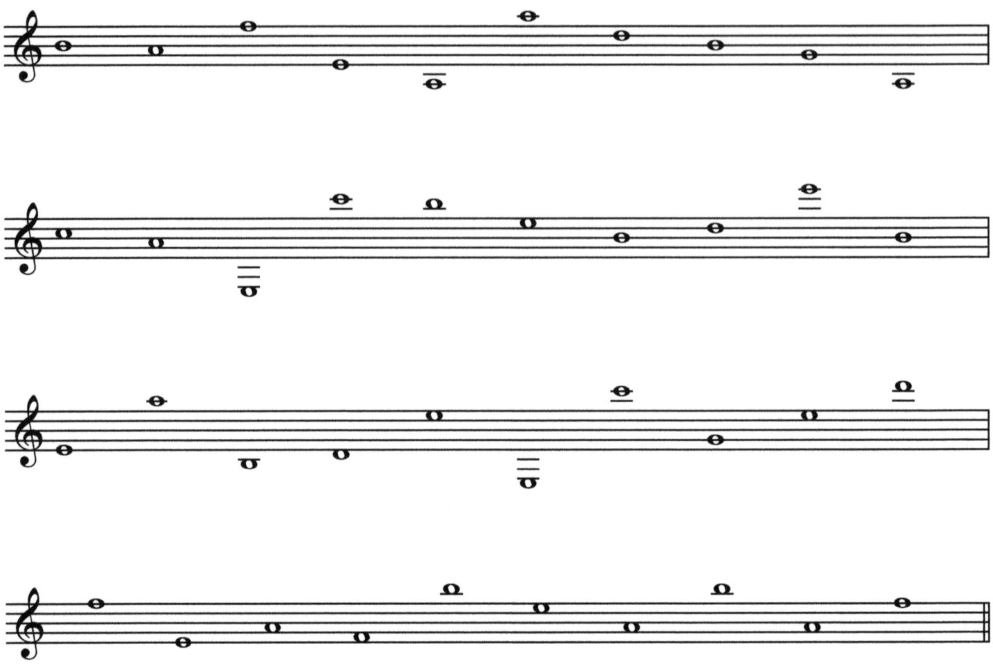

Zeichne die Noten ein.

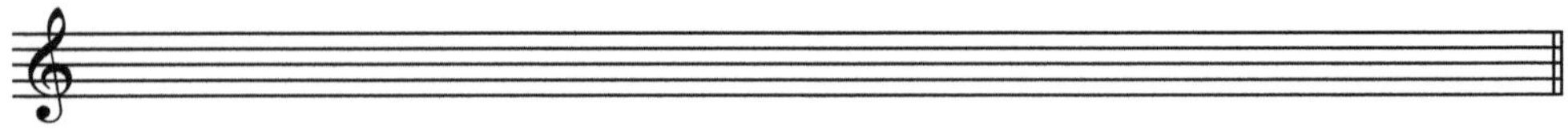

c1 f1 g2 b e1 d2 f2 a b1 e2 c3 a1 d3 b2

VORZEICHEN

1. #

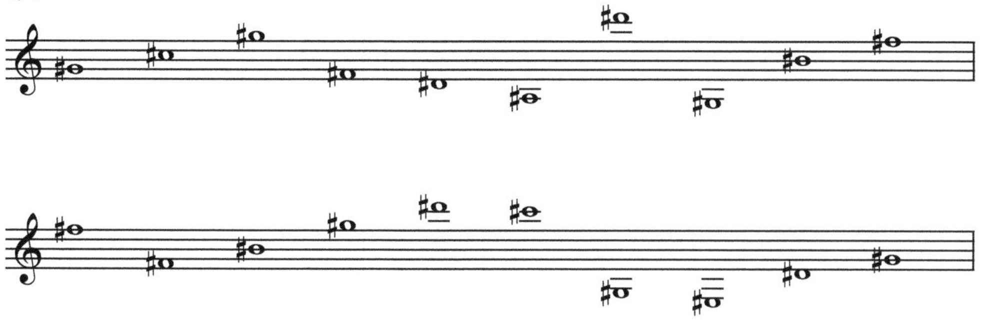

2. ♭

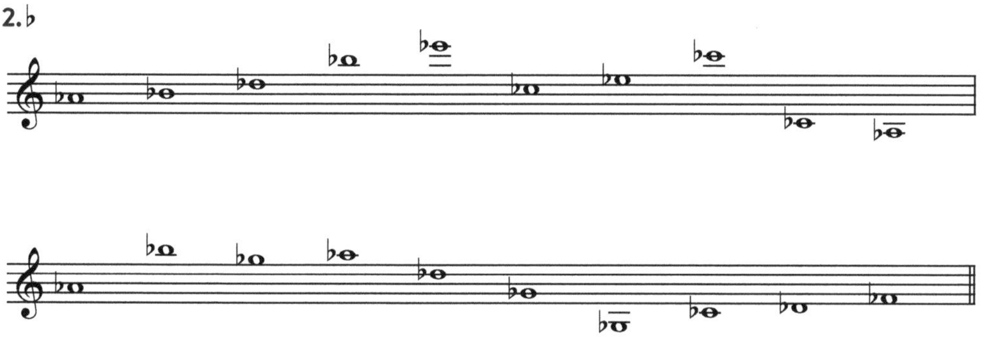

3. Kombination

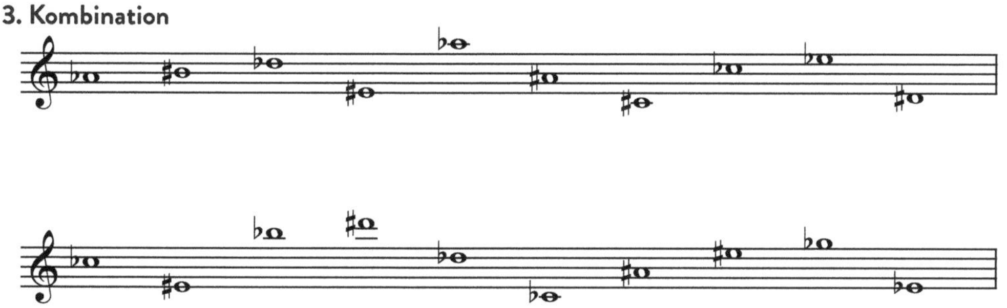

PAUSEN

Schreib die Notennamen unter die Zeilen und beschrifte die Pausen.

1.

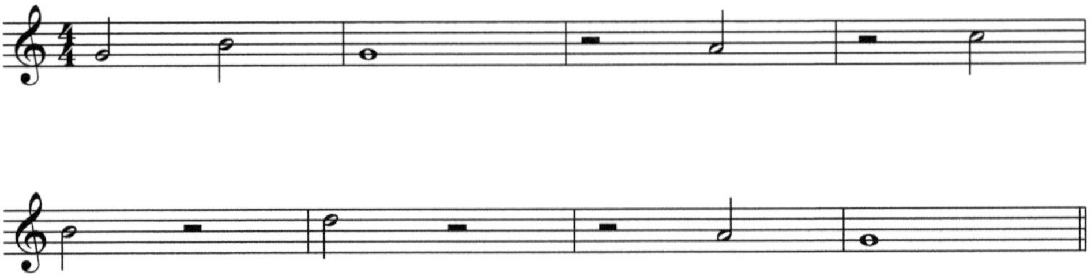

2.

3.

4.

ARTIKULATION

Schreib die Notennamen unter die Zeilen und benenne die Artikulationszeichen.

1.

2.

3.

Schreib die Notennamen unter die Zeilen und benenne die Artikulationszeichen.

4.

Schreib die Notennamen unter die Zeilen und benenne die Verzierungen.

5.

Schreib die Notennamen unter die Zeilen und benenne die Vortragsbezeichnungen.

6.

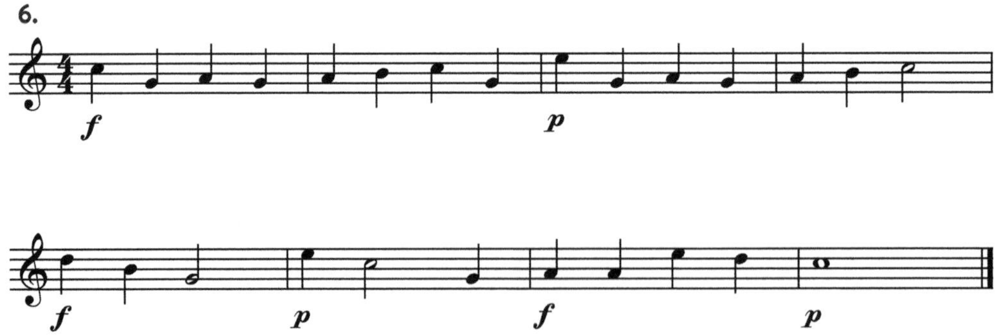

Schreib die Notennamen unter die Zeilen und benenne die Artikulationszeichen.

7.

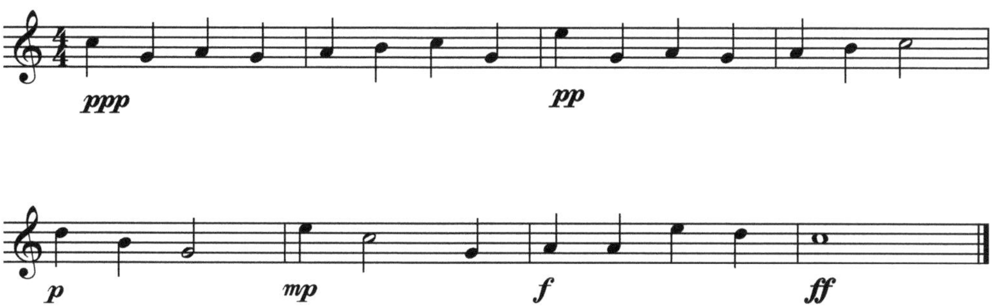

8.

Schreib die Notennamen unter die Zeilen und benenne die Endungen.

9.

10.

VIOLIN- UND BASSSCHLÜSSEL (KLAVIER)

Schreibe die Notennamen unter und die Zählzeiten über die jeweilige Zeile.

PRAXISTIPP: Spiele die Übungen mit deinem Instrument oder singe die Noten mit.

1.

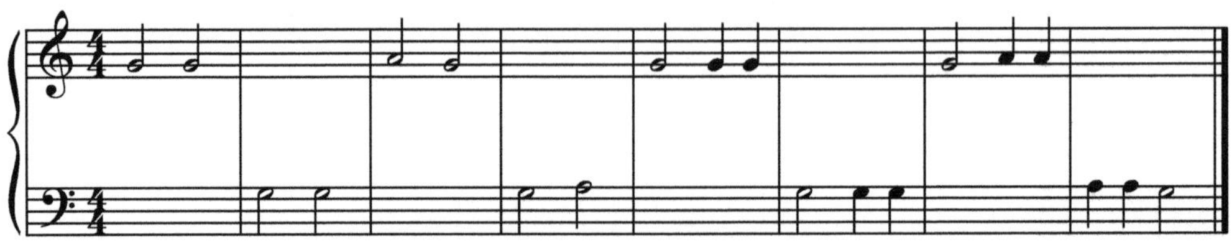

2.

3.

4.

5.

6.

7.

8.

9.

10.

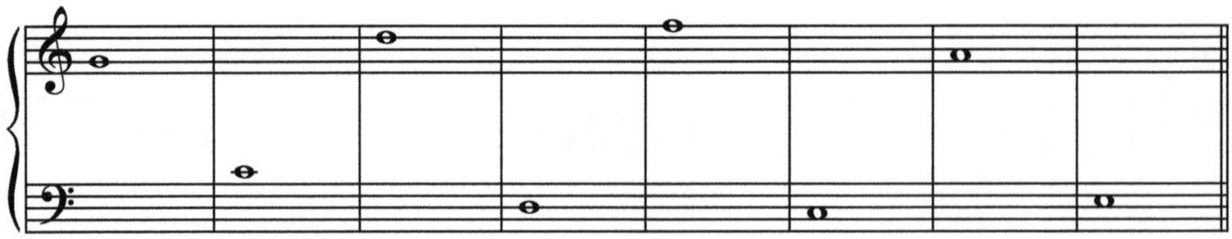

11.

12.

13.

NOTIZEN UND EIGENE ÜBUNGEN

ÜBERSICHT DER HÖRBEISPIELE

1 **HÖRBEISPIEL**
Eric Satie – „Gymnopedie No.1"

2 **HÖRBEISPIEL**
Die Oktavlagen

3 **HÖRBEISPIEL**
Niccolò Paganini – „Caprice 24"

4 **HÖRBEISPIEL**
Johann Sebastian Bach - BWV 1007 „Cellosuite 1" Prelude

5 **HÖRBEISPIEL**
Zusatzaufgabe

6 **HÖRBEISPIEL**
Pjotr Iljitsch Tschaikowsky: Blumenwalzer aus dem Ballett „Der Nussknacker"

7 **HÖRBEISPIEL**
Drumsolo

8 **HÖRBEISPIEL**
Gstanzl

9 **HÖRBEISPIEL**
Eric Satie - „Gymnopedie No.1"

10 **HÖRBEISPIEL**
Wolfgang Amadeus Mozart - Klarinettenkonzert KV 622: II. Adagio

11 **HÖRBEISPIEL**
Rhythmische Übungen - Haltebogen

12 **HÖRBEISPIEL**
Rhythmische Übungen - Sechzehntel

13 **HÖRBEISPIEL**
Triolen

14 **HÖRBEISPIEL**
Shuffle - Rhythmus

15 **HÖRBEISPIEL**
Wolfgang Amadeus Mozart: Konzert für Flöte, Harfe und Orchester in C-Dur, KV 299/KV 297c

16 **HÖRBEISPIEL**
Synkopen

17 **HÖRBEISPIEL**
Intervalle hören

18 **HÖRBEISPIEL**
J. S. Bach: Toccata und Fugue in D-Moll

19 **HÖRBEISPIEL**
Jethro Tull und J.S. Bach, Bourree

20 **HÖRBEISPIEL**
Komponieren in Echtzeit.

21 **HÖRBEISPIEL**
„Cool Jazz" - Ende der 1940er Jahre in New York entstanden.

22 **HÖRBEISPIEL**
Maurice Ravel - „Bolero". Das wohl bekannteste Stück mit permanent ansteigender Lautstärke (crescendo).

23 **HÖRBEISPIEL**
Norbert Wallner – „Weil's nacha Zeit is"

24 **HÖRBEISPIEL**
Konzert für Oboe und Orchester in C-Dur, KV 314

25 **HÖRBEISPIEL**
Saxophon Solo

26 **HÖRBEISPIEL**
Carl Maria von Weber – „Der Freischütz" Overture, Hornsolo

27 **HÖRBEISPIEL**
Die vier Arten des Dreiklangs.

28 **HÖRBEISPIEL**
Beispiel für „Funktionen" in der Musik.

29 **HÖRBEISPIEL**
Zusatzaufgabe

30 **HÖRBEISPIEL**
Zusatzaufgabe

NOTIZEN

NOTEN LERNEN FÜR ANFÄNGER
ONLINEKURS FÜR ALLE INSTRUMENTE

SCANNE MICH !

DU MÖCHTEST GITARRE LERNEN?
DANN SCHAU DOCH IN MEIN BUCH!

SCANNE MICH !

IMPRESSUM

Norman Gänser wird vertreten durch:
Verlagshaus Stopfer

Daniel Stopfer
Gutleutstraße 57
60329 Frankfurt am Main

Lektorat und Korrektorat: Andreas Germek & Finja Westerhove
Covergestaltung: Nina Heiden
Layout: Nina Heiden

ISBN Taschenbuch: 978-3-910258-52-5
ISBN Hardcover: 978-3-910258-53-2
ISBN eBook: 978-3-910258-54-9

www.verlagshaus-stopfer.de

?!...

SOLLTEST DU FRAGEN, KRITIK ODER ANREGUNGEN HABEN, FREUEN WIR UNS JEDERZEIT ÜBER DEINE NACHRICHT! SCHREIBE HIERZU EINFACH EINE MAIL AN:

info@verlagshaus-stopfer.de

HAFTUNGSAUSSCHLUSS

Dieses Buch enthält Meinungen und Ideen des Autors und hat die Absicht, Menschen hilfreiches und informatives Wissen zu vermitteln. Die enthaltenen Hinweise und Methoden passen möglicherweise nicht zu jedem Leser, und es gibt keine Garantie dafür, dass sie auch wirklich bei jedem funktionieren.

Die Benutzung dieses Buches und die Umsetzung der darin enthaltenden Informationen erfolgt ausdrücklich auf eigenes Risiko. Haftungsansprüche gegen den Autor oder den Verlag für Schäden materieller oder immaterieller Art, die durch die Nutzung oder Nichtnutzung der Informationen bzw. durch die Nutzung fehlerhafter und/oder unvollständiger Informationen verursacht wurden, sind ausdrücklich ausgeschlossen.

Das Werk, inklusive aller Inhalte, gewährt keine Garantie für Aktualität, Korrektheit, Vollständigkeit und Qualität der bereitgestellten Informationen. Druckfehler und Fehlinformationen können nicht vollständig ausgeschlossen werden.